Dr. REY

ROBERT REY

Dr. REY
O brasileiro que se tornou o
Dr. Hollywood

1ª Edição
2015

São Paulo-SP
Brasil

Copyright © 2015 do Autor

Todos os direitos desta edição reservados à
Prata Editora (Prata Editora e Distribuidora Ltda.)

Editor-Chefe: Eduardo Infante

Projeto Gráfico de miolo e capa: Julio Portellada

Diagramação: Estúdio Kenosis

Preparação e Revisão de Texto: Flávia Portellada

Fotos: Acervo do autor

```
Dados Internacionais de Catalogação na Publicação (CIP)
(Câmara Brasileira do Livro, SP, Brasil)

    Rey, Robert
       Dr. Rey : o brasileiro que se tornou o Dr.
    Hollywood / Robert Rey. -- 1. ed. -- São Paulo :
    Prata Editora, 2015.

       1. Cirurgia plástica 2. Dr. Hollywood (Programa
    de televisão) 3. Empreendedorismo 4. Médicos -
    Autobiografia 5. Rey, Robert, 1961- I. Título.

15-06686                                       CDD-926.1
```

Índices para catálogo sistemático:

1. Médicos : Memórias autobiográficas   926.1

Prata Editora e Distribuidora
www.prataeditora.com.br
facebook/prata editora

Todos os direitos reservados ao autor, de acordo com a legislação em vigor. Proibida a reprodução total ou parcial desta obra, por qualquer meio de reprodução ou cópia, falada, escrita ou eletrônica, inclusive transformação em apostila, textos comerciais, publicação em websites etc., sem a autorização expressa e por escrito do autor. Os infratores estarão sujeitos às penalidades previstas na lei.

Impresso no Brasil/*Printed in Brasil*

Minha família é o oxigênio que eu respiro todos os dias. Sem eles, não tenho razão para viver. Sou muito grato por ter nascido no Brasil, porque o brasileiro na minha alma me ajudou a fazer o mundo sorrir.

Amo meus pacientes e agradeço a Deus por poder ajudá-los a recuperar sua autoestima.

Nasci para criar um Brasil que funcione e para levá-lo ao primeiro mundo. E para que a voz do Brasil — de amor, caridade e paz — seja ouvida por todo o mundo.

Chegou a hora do Brasil!

Não é possível separar de Deus o meu sucesso na vida. Sempre comecei os meus dias com oração e paguei o dízimo. Essa é a razão do meu sucesso.

Sumário

Introdução 13

Capítulo 1 — Os primeiros anos. 17

Capítulo 2 — A adolescência nos Estados Unidos 71

Capítulo 3 — Vida acadêmica 93

Capítulo 4 — Vida pessoal e familiar 129

Capítulo 5 — Vida profissional 159

Capítulo 6 — O futuro e a política no Brasil 199

Introdução

MINHA VIDA FOI MARCADA POR uma infância muito sofrida, decorrente de graves problemas familiares. Nasci no Brasil, o segundo em uma família de 4 filhos. Meu pai era um americano problemático e minha mãe uma faxineira gaúcha. A partir dos 12 anos de idade, passei a viver nos Estados Unidos com uma família de missionários cristãos — e isso foi a minha salvação.

Com o tempo, os traumas da violência doméstica e as péssimas condições de vida que eu tinha no Brasil ficaram para trás, e percebi que tinha plenas condições de ser alguém na vida, mesmo que todas as probabilidades estivessem contra mim. Não foi nada fácil!

Mesmo nos Estados Unidos, a "terra das oportunidades" e do "sonho americano", é muito difícil um latino se destacar e obter sucesso. Isso ficou bem claro para mim, desde a minha chegada naquele país. Entretanto, nunca desisti e continuei tentando vencer. Hoje, posso dizer que sou considerado um caso de sucesso, tanto na vida profissional, quanto na pessoal.

Tudo o que eu tenho eu devo a Deus, pois desde cedo aprendi que a pessoa que segue o caminho e as determinações Dele será recompensada, obtendo as maiores graças.

INTRODUÇÃO

Mesmo indo morar nos Estados Unidos sem falar inglês, depois de algum tempo consegui obter ótimas notas na escola. Eu me formei em Engenharia Química e Medicina, com especialidade em cirurgia plástica e reconstrutiva. Tenho mestrado em Ciências Políticas pela Universidade de Harvard, uma das melhores e mais tradicionais instituições do mundo, do mesmo curso frequentado por estadistas renomados, como os presidentes Barack Obama, Bill Clinton e John F. Kennedy.

As conquistas obtidas através do meu trabalho me proporcionaram reconhecimento internacional. Além de me tornar um profissional respeitado pela mídia e pelo público, sou um empresário com produtos comercializados em mais de 120 países. Até agora, apesar de todas as dificuldades, a vida tem sido uma viagem e tanto!

Neste livro, baseado em diários que mantenho desde os meus 12 anos de idade, eu conto os maiores segredos da minha vida, coisas que nem sempre são agradáveis de lembrar. E relato, também, como consegui chegar onde cheguei, profissionalmente, saindo praticamente do nada até me tornar uma personalidade conhecida e respeitada em todo o mundo. Aqui eu não somente abro a minha "caixa de recordações", expondo o meu passado, como também a minha "caixa de ideias", contando os meus objetivos para o futuro — especialmente da minha determinação em transformar o Brasil em um país melhor, do meu desejo de que seu patamar seja elevado ao de primeiro mundo e da vontade que tenho de ajudar a melhorar a vida do sofrido povo brasileiro.

Esta é a história de Roberto Miguel Rey Júnior, o verdadeiro Dr. Hollywood. E você, leitor, está convidado a conhecê-la.

Robert Rey

Os Primeiros Anos

Meu pai

Minha história começa em 1961, no dia 1º de outubro, na cidade de São Paulo. Sendo o primeiro filho homem, recebi o nome do meu pai, e fui registrado como Roberto Miguel Rey Júnior.

Meu pai nasceu nos Estados Unidos, em 1918, mas veio para o Brasil pouco depois do término da Segunda Grande Guerra e se casou com a minha mãe, Avelina Hoffman Reisdorfer, uma brasileira natural de Ijuí, no Rio Grande do Sul, cuja família imigrou para o Brasil no final do século XIX, vinda da região da Baviera, na Alemanha.

Nasci e fui criado até os 12 anos de idade em uma família totalmente desajustada. Meu pai e eu tivemos poucas chances de diálogo durante a minha infância. Para mim, era um homem misterioso, ausente e de poucas palavras. Parecia que tinha algo a esconder em seu passado.

Na verdade, o pouco conhecimento que tenho sobre ele é muito nebuloso. Até onde eu sei, ele nasceu na cidade de Washington, capital dos Estados Unidos, e cresceu em bairros de imigrantes e operários, na cidade de Nova Iorque. Meus avós paternos eram imigrantes, mas não sei de onde vieram. E também nunca soube o porquê de meu pai ter recebido um nome latino, tão diferente de meus avós Jack Rey e Helen Aumont Rey.

Eu me lembro de ouvi-lo contando que meus avós eram muito distantes, não demonstravam nenhum sinal de afeto — nem com ele, nem com sua irmã. Meu avô Jack era muito agressivo, e chegou a deslocar o braço do próprio filho em uma de suas investidas.

Quando jovem, meu pai sonhava em trabalhar na área florestal, mas o meu avô não permitiu. Se não me falha a memória, ele tinha apenas três opções de profissão: médico, contador ou engenheiro. Como não gostava de nenhuma, escolheu a que menos o desagradava, a engenharia.

Naquela época, os imigrantes eram muito discriminados nos Estados Unidos. Embora meu avô Jack trabalhasse como contador, recebendo o suficiente para sustentar a família, eles viviam em condições espartanas, num ambiente desprovido de calor humano — quase um gueto. Meu pai fugia daquela realidade, dedicando-se à escola e às práticas de handebol, dança de salão e luta livre. Além de bonito, era inteligente e carismático, e se tornou um ótimo jogador de handebol e dançarino profissional, chegando a instrutor de dança salão.

Ele estudou engenharia na Universidade de Nova Iorque, e se formou em 1941, como o primeiro de sua turma. Foi também o primeiro a conseguir emprego, logo após a formatura. Meses depois, os Estados Unidos entravam na Segunda Guerra Mundial.

Como um jovem engenheiro brilhante, por volta de 1945 ele foi recrutado para trabalhar com uma equipe de engenharia de elite, em um projeto para redesenhar partes do avião bombardeiro B-17, o mais importante e potente recurso militar da Força Aérea Americana até então.

Logo após sua chegada à Base Aérea de Patterson, na cidade de Dayton, no estado de Ohio, meu pai foi designado para refazer um mecanismo ligado ao compartimento de bombas do B-17, chamado *bombsite*, um dispositivo que permitia à tripulação do bombardeiro selecionar os alvos e soltar as bombas. De acordo com o que ele contava, no início da guerra os aviões bombardeiros americanos voavam baixo e davam rasantes para atacar estrategicamente as posições do general Rommell. Devido à proximidade do solo, os *bombsites* ficavam entupidos com a areia fina do deserto do norte da África, onde foram travadas muitas batalhas.

Mesmo sendo um jovem engenheiro, meu pai redesenhou de forma brilhante o *bombsite,* deixando-o mais eficiente, o que ajudou a tornar o bombardeiro B-17 uma das armas mais confiáveis da Segunda Guerra Mundial. Por sua relevante contribuição na resolução daquele problema, meu pai recebeu uma carta de agradecimento do então presidente dos Estados Unidos da América, Harry S. Truman.

Era raro ouvir dele alguma história sobre essa época, mas ele contou que uma vez, enquanto voava numa missão para testar os bombardeiros, três dos quatro motores do B-17 falharam. Meu pai foi o primeiro na cabine a se preparar para saltar de paraquedas, mas no último minuto o piloto comunicou pelo rádio que seria possível retornar o avião à base com sucesso.

Apesar de ter muitos privilégios em tempos de guerra, graças à sua posição como consultor da Força Aérea, pertencendo ao quadro de civis, os anos seguintes foram bem difíceis para o meu pai. A competência demonstrada nos serviços prestados à Força Aérea americana foi sobreposta por seu comportamento inconsequente.

Meu pai sempre teve uma atração incontrolável por mulheres bonitas e isso o fez cometer muitas indiscrições. Essa sua característica acabou causando a sua ruína.

Enquanto estava na Base Aérea de Patterson, ele se deixou envolver por uma bela mulher de aparência nórdica. Não surpreendentemente, ela acabou se revelando uma espiã alemã (meu pai nunca teve talento para perceber o óbvio!).

Aparentemente, a mulher havia sido enviada para descobrir segredos de projetos militares, aproximando-se de membros da equipe de engenharia da Base Aérea de Patterson, da qual meu pai fazia parte. Quando o assunto envolvia saias, ele sempre mordia a isca, o anzol e o chumbo! Em razão desse episódio, meu pai passou a ser perseguido pelo Serviço Secreto dos Estados Unidos. E o que aconteceu depois disso é um segredo que ele levou para o túmulo.

A sua vida virou do avesso. Muito provavelmente, a maioria dos seus problemas psíquicos e das suas paranoias surgiu daí. Ele contou que marcava, com um lápis, a posição dos móveis e objetos em seu apartamento, todas as manhãs. Como tinha certeza de que estava sendo observado e seguido em todos os lugares, também acreditava que pudessem estar mexendo em suas coisas. As suspeitas acabavam se confirmando, pois quando chegava em casa, à noite, verificava que a mobília e outros objetos estavam ligeiramente fora do lugar, desencaixados das marcas feitas.

Pouco depois do fim da Guerra, meu pai decidiu sair dos Estados Unidos e mudou-se para a América do Sul — primeiro para a Argentina e, em seguida, para o Brasil; onde conseguiu um emprego na cidade de Porto Alegre, no Rio Grande do Sul.

Em Porto Alegre, ele pôde realizar um sonho antigo — comprar um pequeno sítio, onde havia um pequeno bosque de pinheiros. Lá ele criava vários cães da raça pastor-alemão, outra paixão da sua vida. Ele não só plantou muitos dos pinheiros da propriedade, mas também inúmeras árvores frutíferas. Meu pai manteve o sítio ainda por alguns anos, mesmo depois de se mudar para São Paulo. Eu conheci o lugar quando tinha cerca de 6 anos de idade. Acredito que na época em que viveu lá, meu pai deve ter sido um homem diferente, mais calmo e menos paranoico.

Ele nunca chegou a explicar as verdadeiras razões que o levaram a sair do seu país e mudar para a América do Sul; era mais um dos seus mistérios. Mas havia rumores de que tinha algo a ver com a provável caça a fugitivos nazistas.

Essa mudança tão radical sempre me intrigou e, por não ter encontrado outra explicação, só pude concluir que ele tornou-se um homem marcado pela perseguição que sofreu do Serviço Secreto dos Estados Unidos, traumatizado pela experiência de ter sido vigiado o tempo todo e exausto pelo que vivenciou durante o período de guerra. Além disso, ele tinha uma relação desgastada com a família, principalmente com seu pai. De qualquer forma, ao que parece, ele queria escapar e fugir para o mais longe possível.

Durante a minha infância, por uma ou duas vezes eu ousei perguntar a ele sobre o seu passado. As consequências foram terríveis, e cheguei a apanhar por causa disso. A regra era simples: seu passado complicado e secreto não dizia respeito a ninguém, incluindo sua esposa e seus filhos.

Ele trabalhou para diversas empresas americanas, inicialmente na Argentina e mais tarde no Brasil. Seu primeiro emprego aqui foi na Baldwin, uma companhia de trens. Depois, ele foi trabalhar na montadora Willis, que fabricava o famoso Jeep. No Sul, ele conheceu minha mãe, se casou e se naturalizou brasileiro. Depois, eles seguiram para São Paulo, pois ele assumiu um cargo na Ford Motor Company do Brasil, na região do ABC paulista, onde permaneceu por um bom tempo e chegou a ser promovido a engenheiro-chefe.

A infância, a casa, a bagunça

Meus pais tiveram quatro filhos: Walkyria, eu, Jacques e Valdívia.

Morávamos em um prédio antigo, na Lapa de Baixo, considerado, na época, um bairro de operários. Nosso pequeno apartamento de dois quartos ficava no oitavo andar, e era o último em um corredor longo e escuro.

Apesar de trabalhar na cidade de São Bernardo, meu pai, inexplicavelmente, escolheu morar bem longe da empresa. Todos os dias, ele gastava no mínimo duas horas no trajeto de ônibus e trem, e ainda tinha que andar uma boa parte do caminho.

Por ser um engenheiro americano bem qualificado, meu pai certamente recebia um bom salário. Entretanto, nós vivíamos em uma situação de miséria. Nosso pequeno apartamento, alugado, era um lugar deprimente, com janelas quebradas, pintura descascada, lâmpadas penduradas em fios, poucos móveis, uma geladeira velha e, por muito tempo, sem máquina de lavar roupa. A pequena TV em preto-

-e-branco tinha um cabide de arame velho no lugar da antena, e ficava trancada no quarto do meu pai. Praticamente só ele a utilizava.

Não tínhamos uma casa normal, mobiliada com sofá, mesa de centro, luminárias, porta-retratos ou qualquer tipo de decoração. A maioria de objetos espalhados não tinha utilidade. Mais parecia um cortiço sujo, onde vivia um grupo de pessoas infelizes.

Durante a minha infância, eu sofri com problemas pulmonares frequentes — bronquite, pneumonia e broncopneumonia —, causados pela minha fragilidade física e agravados pela poluição de São Paulo. Por isso, minha mãe estava constantemente em alerta. Como ninguém podia dormir no quarto com o meu pai, nem mesmo minha mãe, durante muito tempo ela dormia comigo sobre alguns cobertores velhos em cima da mesa na sala ou, às vezes, dentro de um saco de dormir. Meus três irmãos dormiam no outro quarto, em camas quebradas, sobre velhos colchões de espuma cheios de buracos e infestados de pulgas. Parece ruim, mas, acreditem, não dá para imaginar o quanto! No inverno, que em São Paulo é bem rigoroso, o sofrimento era ainda maior. Em quase todos os cômodos os vidros das janelas estavam quebrados, e não havia cortinas. Eu me lembro de sentir frio constantemente.

No apartamento havia dois banheiros, e apenas um com chuveiro, porém, sem cortina nem água quente. Na verdade, nunca tivemos água quente em casa. Meu pai acreditava que tomar banho era algo prejudicial à saúde. Então, era raro usarmos o chuveiro. Isso só acontecia a cada duas ou três semanas e, mesmo assim, os banhos eram dados pela minha mãe — mesmo depois de crescidos, quase adolescentes! Aquilo era realmente muito estranho.

Saindo da pequena sala, havia um estreito corredor à direita. A primeira porta era o quarto onde dormiam os meus irmãos. A seguir ficava o banheiro, que estava sempre sujo, e no final do corredor escuro ficava o quarto do meu pai — inacessível e assustador. Durante todos os anos em que vivi com meus pais, a porta daquele quarto estava sempre trancada, e era terrivelmente assustador quando ele chamava um de nós para entrar lá.

A janela do seu quarto também ficava sempre fechada, assim como as venezianas. Um cobertor marrom, sujo e velho, de estilo militar, ficava pendurado permanentemente sobre a janela.

Uma característica muito comum da natureza das crianças é que elas costumam se sentir atraídas por tudo o que as assusta, como lugares escuros ou aterrorizantes. Então, mesmo sendo proibido, eu e meus irmãos descobrimos um jeito de entrar no quarto do meu pai, quando ele não estava, é claro.

Aquele lugar parecia um cenário de filme. Era tão obscuro e "impenetrável" que havia um boato de que lá as paredes eram revestidas com placas de aço. Mas o que não era boato, pois eu pude ver com meus próprios olhos em várias ocasiões, é que ele guardava ali um verdadeiro arsenal militar. O armário tinha uma porção de armas, entre fuzis, pistolas e facas de vários tipos e tamanhos.

Hoje eu reconheço muitos desses fuzis como sendo armas semiautomáticas ou totalmente automáticas. Suas gavetas continham, entre outras coisas, facas, algemas e diversas armas de mão. Ele também possuía uma grande quantidade de munição e equipamento de primeiros socorros (incluindo bisturis, pinças e outros instrumentos cirúrgicos básicos) e vários pares de botas militares.

Meu pai era um acumulador de coisas. A sala estava sempre cheia de objetos espalhados em todos os lugares. No quarto dele, por exemplo, não dava para ver o chão! Ao entrar, pisávamos sobre revistas, equipamentos de ginástica, armas, alimentos, jornais velhos e muitos livros. Ele dizia que, quando criança, não tinha amigos; apenas livros. À medida que sua mente se deteriorou, esta fuga utilizada na infância, inicialmente saudável, tornou-se uma obsessão perturbadora. Eu me lembro de vê-lo constantemente encapando seus livros, reaproveitando velhos sacos de papel pardo.

Quanto à saúde física, meu pai era bastante cuidadoso. Nesse aspecto, seus hábitos eram muito salutares. Ele acordava bem cedo, todos os dias, e fazia exercícios regularmente. E isso era algo bastante incomum naquela época, diferentemente de hoje, em que os exercícios físicos tornaram-se moda. Acredito que minha disciplina e dedicação aos esportes sejam em razão de seu exemplo.

A maior parte dos problemas que eu vivi, quando criança, está relacionada ao fato de que os meus pais eram desorganizados e desajustados. Eu me lembro, por exemplo, de uma luminária que ficava no corredor do nosso apartamento, cuja única lâmpada estava queimada. É inacreditável, mas eles não trocaram aquela lâmpada nenhuma vez sequer, durante toda a minha infância!

Na entrada havia um velho fogão a lenha que nunca foi usado. Em cima dele, meus pais guardavam vários sacos com diversos tipos de grãos que nunca eram consumidos, mas também não eram jogados no lixo. Aqueles sacos permaneceram ali durante toda a minha infância, atraindo uma grande quantidade de baratas e outros insetos. Ao lado do fogão a lenha havia uma enorme bobina jogada no chão, com uma corda bem grossa, com cerca de 2,5 cm de espessura, própria para amarração de barcos. Essa corda ficava ali para que, em caso de incêndio, a família pudesse descer pelo lado de fora do prédio, até o térreo. Uma das inúmeras obsessões do meu pai era estar sempre preparado para emergências. Em teoria, isso poderia ser algo bom, mas sua preocupação acabou se tornando um distúrbio psicológico.

Depois do enorme rolo de corda havia uma mesa velha, totalmente bamba, cercada de cadeiras de madeira, cada uma diferente da outra. As paredes eram escuras, rachadas e sujas. Essa parte do apartamento traz de volta algumas das minhas piores lembranças. Ali eu testemunhei muitas brigas entre meus pais. Em uma delas, meu pai agrediu minha mãe com tanta violência que ela, frágil, desabou inconsciente sobre a bobina de cordas.

Em raras ocasiões, quando meus pais não estavam brigando, havia o temível "jantar em família". Era um momento solene, e nossa presença era obrigatória. Meu pai normalmente dava à minha mãe pouco dinheiro para fazer compras, e mesmo com a comida racionada, a melhor parte era sempre reservada para ele. Os melhores queijos e cortes de carne eram comprados só para ele. Nós recebíamos apenas pequenas porções de feijão, arroz e frango, e meu pai raramente compartilhava sua comida conosco. Então, a hora do jantar se resumia a quatro crianças esquálidas e desnutridas, quase sempre trêmulas de frio, e uma mãe maltratada e assustada, assistindo ao meu pai comer como um glutão.

À esquerda da mesa de jantar ficava a porta da cozinha. Ela era toda branca, com uma geladeira velha, um fogão desgastado com queimadores quebrados, uma pia rudimentar, velhas prateleiras brancas e uma janela de vidro basculante que dava para uma estreita área de serviço.

A velha área tinha apenas um tanque, mas era o lugar onde minha mãe passava a maior parte do tempo. Foi lá que ela destruiu suas mãos, sua saúde e desenvolveu artrite. Eu já era grande quando meu pai finalmente comprou uma máquina de lavar roupas. Até então, minha mãe lavava a roupa da família toda no velho tanque de granito. Naquela parte do apartamento quase não entrava a luz do sol e ventava muito. Nos meses de inverno, era de partir o coração vê-la lavando pilhas de roupas, por horas. E depois de tanto trabalho, ela sequer tinha uma cama confortável para descansar no final do dia.

Apesar de tudo, eu não tenho uma única lembrança do meu pai demonstrando qualquer sinal de gratidão, arrependimento ou remorso, durante todo o tempo em que convivemos. Mas, apesar de todos os horrores que vivi, sempre procurei não julgar meus pais. É um conceito equivocado e, muitas vezes, conveniente, estabelecer que as pessoas são más, e transformar isso em um rótulo estático. Na tentativa de controlar melhor o nosso mundo, temos a tendência de pintar as coisas em preto-e-branco. E a realidade é que todos temos um lado bom e um lado mau. Há um Judas e uma Madre Teresa no interior de cada um. O que determina o que vamos nos tornar é simplesmente uma escolha — qual lado vamos alimentar e qual deixaremos morrer de fome. O mundo normalmente consegue variar apenas os seus tons de cinza. E o meu pai não fugia a essa regra.

Ali havia também um banheiro e um pequeno quarto, que o meu pai usava para guardar motores, ferramentas, serras elétricas e outros equipamentos que ficavam ali entulhados. Curiosamente, eu nunca o vi utilizar nada daquilo, nem mesmo construir qualquer coisa. Ele geralmente desmontava as coisas e nunca mais remontava.

Por ordem do meu pai, nós tínhamos de aprender a tocar um instrumento. Minhas duas irmãs tiveram aulas de piano, enquanto eu e meu irmão estudamos violão. Por muitos anos, as meninas pediram um piano, mas meu pai acabou comprando apenas um pequeno órgão eletrônico, que logo quebrou. Ele o desmontou para tentar consertar mas nunca mais voltou a montá-lo. Na verdade, meu pai tinha o dom de destruir e não de construir coisas!

Talvez isso se explique por sua frustração profissional. Meu pai foi forçado pelo meu avô a seguir a carreira de engenheiro, mas sempre quis trabalhar na área florestal e gostava muito da natureza. Nós tivemos vários animais de estimação e ele cultivava muitas variedades de plantas na varanda do nosso apartamento e, às vezes, me ensinava a cuidar delas. Hoje em dia, inclusive, apesar de ter um jardineiro, eu gosto de plantar pessoalmente as flores e árvores nos jardins da nossa casa em Beverly Hills, na Califórnia.

Meu pai se recusou a deixar aquele apartamento, mesmo quando nasceu o seu quarto filho. Era um despropósito. Viver naquele cubículo por tanto tempo me marcou profundamente. Para mim, tornou-se uma necessidade morar em uma casa com quintal, muitas plantas e animais soltos. Depois que nasceram os nossos filhos, eu e a Hayley chegamos a ter em casa mais de vinte animais ao mesmo tempo — cães, gatos, hamsters, tartarugas, peixes, papagaio, lagarto e até uma cobra (essa foi por pouco tempo!).

Obsessão e opressão

Além das corridas e caminhadas cotidianas, meu pai fazia flexões em uma barra fixada no batente de uma porta. Mas como não podia deixar de ser, as suas esquisitices também se estendiam nesse assunto. Ele chegou a instalar, em uma das paredes da sala, uma tabela de basquete oficial, com rede e tudo!

Depois de cumprir religiosamente o seu treino matinal, meu pai colocava uma camisa branca, vestia um terno e ia para o trabalho. E, conforme sua crença, trocava de roupa sem tomar banho. Eu não me lembro do meu pai tomando um banho sequer, em toda a minha infância! Quanto a nós, se quiséssemos tomar banho, tinha que ser enquanto ele estivesse no trabalho.

Em consequência disso, hoje eu tomo banhos até demais — sou praticamente obcecado por higiene. Eu costumo tomar um banho depois do meu treino matinal, outro depois de uma cirurgia ou depois de um dia de trabalho na clínica, uma ducha antes de sair à noite e outro banho antes de dormir. Pode parecer exagero, mas sendo um médico-cirurgião, nesta era de tantas bactérias resistentes, o meu "entusiasmo" por higiene certamente é uma coisa benéfica para os pacientes e para a segurança da minha família.

Isso acabou até virando piada entre meus colegas de residência. Nos Estados Unidos, é comum ter uma cerimônia de formatura para os médicos que completam o período de residência. Após os discursos do corpo docente, normalmente é feita uma brincadeira entre os formandos, com a entrega de "prêmios" bem divertidos. Quando eu me formei em cirurgia geral (antes de seguir para a residência em cirurgia plástica), tive a honra de receber o "prêmio Rob Rey para o residente mais higiênico". E, acredite, isso não é algo muito fácil de se conseguir!

O trabalho na residência é tão brutal (ou pior!) quanto o que vemos em seriados médicos ou programas de reality show na TV! Os residentes dormem pouquíssimas horas, e depois de uma noite de plantão, muitos continuam o atendimento aos pacientes no dia seguinte sem trocar seus aventais e roupas sujas. Fazer a barba, então, nem pensar! Muitas vezes, ficávamos de plantão por vários dias.

O período mais longo que permaneci no hospital, sem voltar para casa, foram onze dias. Já ouvi falar de um médico residente, casado, que voltou para casa 14 dias depois e encontrou o apartamento vazio e uma carta de sua esposa, pedindo o divórcio. O trabalho é tão árduo que a maioria dos residentes prefere dormir meia hora a mais, em vez de tomar banho, fazer a barba e escovar os dentes.

Meus colegas sabiam, no entanto, que eu preferia ficar sem dormir, mas não deixava de tomar banho e fazer a barba antes de atender os pacientes. Eu sempre levava comigo uma mochila com secador de cabelos, desodorante, escova e perfume, além de cuecas e meias limpas. Por isso, não fiquei surpreso ao constatar que o "prêmio Rob Rey para o residente mais higiênico" era composto por uma grande mochila preta contendo um kit completo de produtos de higiene pessoal e itens de perfumaria. O prêmio foi dado por vários anos e, quem sabe, pode ser que a tradição ainda exista!

O prédio em que morávamos tinha um estilo bem característico dos anos 1960, feito em concreto aparente. Devido a esse tipo de acabamento, seu interior era muito frio e úmido, e sua acústica era péssima — qualquer som produzia um eco enorme. Meus pais não tinham a mínima preocupação com a conservação do nosso apartamento, que sempre teve as paredes rachadas, cheias de rabiscos das crianças, e sem qualquer enfeite, como quadros ou fotografias. Não era nem um pouco aconchegante, nem mesmo parecia um lar. Em sua loucura, meu pai mantinha uma bancada equipada com uma serra elétrica e outras máquinas bem no meio da nossa sala de estar. É claro que nunca foi usada. Como de costume, nenhuma explicação era dada e ninguém tinha coragem de perguntar por que aquele "trambolho" precisava ficar no meio da sala.

Muitas vezes me perguntaram por que a minha mãe não o impedia ou pelo menos questionava suas atitudes. Acredito que isso esteja relacionado com o período em que eles se casaram e viveram juntos. Naquela época, as mulheres, especialmente as latinas, ainda eram muito submissas. A sociedade não aceitava bem as mulheres separadas — a lei do divórcio sequer existia — e, para completar, a origem humilde e a total ausência de autoestima condenaram minha mãe a uma vida de humilhações e restrições impostas pelo meu pai. Além disso, suas infidelidades constantes partiam ainda mais o coração da minha mãe.

Hoje, diferentemente do que era há 40 ou 50 anos, as mulheres brasileiras são mais preparadas, autoconfiantes, autossuficientes e responsáveis por seu próprio destino. Em 2010, quando fui convidado para ser um dos juízes no concurso Miss Brasil, fiquei agradavelmente surpreso ao descobrir que entre as concorrentes haviam jovens economistas, advogadas, dentistas, empresárias, médicas e profissionais de diversas áreas. Isso era algo inconcebível em um concurso de beleza dos anos 1960, por exemplo. Eu encontrei o mesmo nível de profissionalismo e independência feminina quando participei da comissão julgadora do concurso de Miss Venezuela. A revolução sexual teve um grande impacto nos Estados Unidos, mas esse impacto foi ainda maior na libertação das mulheres nos países latinos. Mesmo que as americanas tenham sido as pioneiras, as brasileiras, em minha opinião, estão um passo à frente. Entretanto, na minha infância, durante a década de 1960, a maioria das mulheres não tinha voz ativa e era subjugada por seus maridos.

Meu pai nunca pedia a opinião da minha mãe para nada. Qualquer comentário que ela pudesse fazer sobre a disciplina dos filhos nunca era bem-vindo. Ela não podia expor ideias ou preocupações relacionadas às decisões familiares e todos os seus sentimentos eram reprimidos. Esse era o conceito geral de casamento para a época, e o que regia a união dos meus pais. O agravante, no caso da minha mãe, era ser casada com um homem problemático e que, muitas vezes, manifestava seu lado perverso com muita agressividade.

Ela recebia um orçamento baixíssimo para comprar comida e suprimentos para a casa. Para outras coisas, como roupas, material escolar ou brinquedos, meu pai não dava dinheiro algum. Não tínhamos acesso a quase nenhum tipo de entretenimento (fora algumas poucas viagens, lembro-me de ter assistido a poucos filmes e de nunca ter ido a um parque de diversões quando criança).

Apesar dos supermercados já serem populares no Brasil, minha mãe costumava fazer compras em feiras livres, pois os preços eram bem menores. Ela tinha conta em vários "mercadinhos" do bairro, mas nunca conseguia pagar em dia. Alguns donos, como a Dona Maria, permitiam que minha mãe continuasse comprando fiado, pois sentiam pena, mesmo sabendo que ela nunca seria capaz de pagar o que devia.

Um dia, minha mãe se "atreveu" a comprar algumas roupas e acabou arranjando uma grande confusão com o meu pai. Lembro-me nitidamente dessa única vez — eram quatro vestidos, simples e baratos, um deles era verde. Essa lembrança ainda traz lágrimas aos meus olhos. Quando meu pai soube, eles tiveram uma briga que durou horas. Durante anos ele continuou relembrando a compra daqueles vestidos, discutindo e recriminando minha mãe por aquele "ato criminoso". Depois desse episódio, ela nunca mais comprou nenhuma peça de roupa. Acho até que, psicologicamente, minha mãe nunca mais foi a mesma, e se tornou ainda mais triste e distante.

A nossa vida familiar era deprimente e especialmente estressante para mim e para os meus irmãos. Todas as noites, éramos colocados para dormir aos gritos pelos nossos pais. Anos mais tarde, já nos Estados Unidos, quando passei a ser criado por missionários cristãos, eu levei algum tempo para me acostumar a dormir em um ambiente tranquilo, com amor e harmonia.

Meu pai não esteve presente no nascimento de nenhum dos quatro filhos. Não porque estivesse trabalhando até tarde, ou tivesse algo que o impossibilitasse. Quase sempre, ele simplesmente ficava em casa, dormindo, e sequer se oferecia para acompanhar minha mãe ao hospital. Quando chegava a hora, ela tinha que chamar um vizinho e pedir uma carona ou tomar um táxi no meio da noite, sozinha!

Ele nunca queria ser incomodado, especialmente à noite, mesmo que um filho estivesse doente. Quando o meu irmão mais novo contraiu meningite, minha mãe cuidou dele o tempo todo, mas durante a noite seu pescoço se tornou completamente rígido. Desesperada, ela bateu na porta do meu pai, mas ele não abriu e limitou-se a dizer, com uma voz rouca e sonolenta, que não queria ser incomodado. De pijama, ela pediu socorro a um vizinho que os levou para o hospital mais próximo. Milagrosamente, meu irmão foi salvo, apesar do desprezo e da total insensibilidade do meu pai.

Ele tinha uma predileção pela minha irmã do meio, aparentemente porque, dentre os quatro filhos, ela era a única loira e de olhos azuis. A aparência física dos demais é bem latina, com cabelos e olhos castanhos. Se uma distinção como esta já soa absurda entre seres humanos, parece ainda pior quando feita entre os próprios filhos. Minha irmã mais velha — a mais morena de todos — era a que mais sofria com a discriminação bárbara do meu pai.

Ele acabou prejudicando muito minha autoestima, apesar de geralmente me tolerar. Mas não consigo imaginar os danos psicológicos que ele deve ter causado à minha irmã mais velha. Na época, eu já estava muito traumatizado para questioná-la a esse respeito, e tinha força suficiente apenas para aguentar os excessos e a tirania do meu pai. No fundo, sabia que se ela revelasse o seu sofrimento para mim, eu teria que saltar da ponte mais próxima ou matá-lo! Muitas pessoas têm força e coragem para suportar injustiças e tiranias, mas poucos conseguem suportar o sofrimento horrível de entes queridos.

A revolta e os traumas

Suportar essa opressão constante e ver toda a família, especialmente minha mãe, sofrer sob a tirania feroz do meu pai era algo horrível. Conforme crescia e começava a me tornar um "homenzinho", eu desejava reunir coragem para tentar defender minha mãe contra o sofrimento ao qual ela era submetida constantemente.

A minha revolta aos poucos foi tomando forma, pois, durante os anos em que vivi ali, eu ia frequentemente ao quarto do meu pai, às escondidas, para brincar com seus rifles e manusear suas pistolas e facas — e aquele lugar cheio de armas me fazia ter ideias perigosas. Eu tremia só de pensar em fazer alguma coisa, pois meu pai era uma figura muito imponente. Contudo, eu sabia que precisava tomar uma atitude. Por mais que eu, meus irmãos e minha mãe fôssemos submissos, estávamos no limite do desespero e da autopreservação.

Para mim, esse limite extrapolou quando eu tinha 12 anos de idade, pouco antes da minha partida para os Estados Unidos. Meu pai estava ficando mais e mais cruel a cada ano. Um dia, ele atacou a minha mãe tão agressivamente que eu não consegui me conter; quase o enviei de volta ao Criador.

As brigas com a minha mãe eram como tempestades, com raios e trovões que duravam horas e alguns momentos de calmaria. Em uma dessas brigas, já sabendo como tudo acabaria, eu escapei e entrei no quarto do meu pai, enquanto eles discutiam na sala. Peguei uma de suas pistolas, escondi sob o casaco, voltei e, silenciosamente, me juntei aos meus irmãos que, como sempre, assistiam a tudo aterrorizados. Era um triste padrão, mas habitual — os quatro filhos, boquiabertos e paralisados de medo, assistindo à briga dos pais. Ocasionalmente, quando as discussões iniciavam de forma mais gradual, tínhamos tempo de correr para o quarto e nos esconder debaixo das camas. Mas, em geral, os conflitos logo se transformavam em luta corporal, e minha mãe se defendia com o que estivesse ao seu alcance — podia ser o ferro elétrico, se estivesse passando roupas ou uma faca, se estivesse na cozinha.

Naquele dia, um anjo devia estar cuidando de mim, para que nada de mal acontecesse! Meu pai chegou muito perto de colher sua recompensa eterna, que teria sido entregue pelas mãos trêmulas e os olhos cheios de lágrimas de seu próprio filho! Estranhamente, assim como havia começado, a luta de repente parou. A discussão cessou milagrosamente, e não precisei sacar a arma escondida. Tenho vergonha de admitir que, ao longo dos anos que se seguiram, eu me arrependi de não ter puxado o gatilho. Depois de tudo o que aconteceu ter ficado no passado, agradeço a Deus por não ter sido o instrumento de uma tragédia. Só recentemente que, sentindo-me razoavelmente curado do que aconteceu naquele dia traumático, consegui ter coragem para contar esse episódio aos amigos e à família. Eu carreguei sozinho esse segredo por muitos e muitos anos. Em decorrência de tudo o que passei nessa época da minha vida, sinto uma grande preocupação em ajudar pessoas necessitadas e que sofrem injustiças. Eu realmente aprendi a importância inestimável do altruísmo de um bom samaritano.

Apesar de toda a violência física que eu sofri, surpreendentemente, alguns dos piores traumas causados por meu pai foram provocados por agressões psicológicas. O mais desesperador era o fato de que não tínhamos como escapar, nem para onde ir, e ninguém acreditaria se contássemos a nossa realidade. Meu pai estava tão acostumado ao seu papel de torturador que isso não o alterava.

Para os vizinhos, ele parecia um bom homem, tranquilo e simpático. Muitos no bairro admiravam o Sr. Rey. Ele sempre exibia um sorriso amável, era um perfeito cavalheiro, cortês, charmoso e educado. Entretanto, dentro de casa, com as portas fechadas, se transformava em um monstro de sangue frio e sem remorso. As pessoas que ouviam a nossa história balançavam a cabeça incredulamente, pensando que tudo era exagero. Depois, nos davam um tapinha nas costas e nos mandavam de volta para casa, direto para as garras do psicopata! Aquela situação me faz lembrar o famoso quadro "O Grito", de Edvard Munch. Era como um grito solto no espaço, e que ninguém podia ouvir.

Naquela época era tudo muito diferente. As mulheres maltratadas morriam em silêncio, ou simplesmente escondiam seus hematomas com muita maquiagem e colocavam um falso sorriso no rosto. Era vergonhoso até mesmo discutir o assunto. O problema era tão reprimido que, simplesmente, "não existia". Nos dias de hoje, apesar de todas as dificuldades estruturais e legais, há no Brasil leis sérias para defender mulheres e crianças que sofrem maus tratos ou violência doméstica, e que possibilitam salvar as vítimas de situações horríveis como as que eu vivi, juntamente com minha mãe e meus irmãos.

Minha mãe

Nascida em uma fazenda, no município de Ijuí, estado do Rio Grande do Sul, minha mãe saiu de casa aos 15 anos de idade. Seu pai, pelo que eu soube, era extremamente agressivo e frequentemente atacava física e verbalmente a esposa e os filhos. Ele não se controlava no que dizia respeito às mulheres. Acabava gastando o pouco rendimento obtido na lavoura com suas namoradas. Resumindo, ela saiu de um buraco para cair em outro! Especialistas afirmam que pessoas criadas em lares violentos tendem a se casar com parceiros violentos. De acordo com o que ela contou, os excessos cometidos pelo meu avô acabaram levando uma de minhas tias ao suicídio, ainda muito jovem. Obviamente, isso afetou minha mãe seriamente.

Ao sair de casa, ela seguiu para a cidade de Santa Rosa, também no estado do Rio Grande do Sul, para o único lugar no qual pensou que poderia obter alguma ajuda: um convento. Mesmo não sendo de uma família com boas condições financeiras, ou que pudesse fazer qualquer tipo de contribuição, a Madre Superiora permitiu que ela estudasse lá, mas, em troca, deveria fazer todo o trabalho de limpeza do lugar. E foi assim que minha mãe começou a trabalhar como faxineira, o que continuou fazendo ao longo de toda a sua vida. A Madre Superiora não a poupava em nada, ordenava que lavasse e esfregasse, até seus ossos doerem, mesmo durante os frios invernos do sul do Brasil.

Após concluir o ensino médio, ela continuou a trabalhar na escola das freiras para pagar a hospedagem no convento. Naquele tempo, não era comum mulheres solteiras morarem sozinhas, entretanto, uma moça que vivesse em um convento poderia manter a sua boa reputação.

Minha mãe era uma moça muito bonita — alta, magra, loira e de olhos azuis-esverdeados —, além de ter um enorme coração.

Por volta de 1956, ela foi trabalhar na mesma empresa em que meu pai trabalhava, em Porto Alegre. E achou que havia encontrado uma forma de mudar de vida, através dele. Os estrangeiros, principalmente os americanos, eram muito admirados pelos brasileiros e isso certamente a atraiu. Ela estava com 26 e ele com 38 anos de idade. Mas para ela tudo parecia perfeito, pois se casaria com um engenheiro americano e nunca mais precisaria trabalhar como faxineira.

Sendo um pouco ingênua, devido à sua origem humilde, ela não conseguiu perceber no meu pai um lobo em pele de cordeiro. Nem sequer podia imaginar o que ele escondia em seu passado e a triste vida que a aguardava no futuro.

Quando ela viu quem ele realmente era, já era tarde demais. O seu destino já estava selado.

Entre muitas outras coisas, um dia ela descobriu que meu pai já havia sido casado anteriormente e maltratado muito a primeira esposa, Maria, uma mulher negra com quem teve um filho. Havia rumores de que ele teria abandonado o menino pelo fato de ter nascido mulato. (Às vezes, por razões que não consigo explicar, eu sinto uma grande vontade de conhecê-lo, mas nunca soube do seu paradeiro.)

Em poucos anos de casada, ela já estava mental e fisicamente irreconhecível! A moça bonita de outrora se tornou uma mulher desleixada, abatida, escravizada pelo trabalho doméstico e completamente à mercê de um tirano.

Sua vida tomou o mesmo rumo que a da minha avó. Como se fosse uma sina de família. E realmente parecia não haver uma saída. Quando se deu conta, já tinha 4 filhos, morava em um apartamento alugado e caindo aos pedaços, não tinha telefone, não sabia dirigir, não tinha dinheiro, não contava com nenhum parente por perto para ajudá-la e vivia cercada por pessoas apáticas, típicas das grandes cidades (que permaneciam impassíveis apesar dos gritos noturnos que ecoavam do nosso apartamento). A sociedade ainda não disponibilizava abrigos para mulheres maltratadas e ela não frequentava nenhuma comunidade religiosa, ou igreja, que pudesse ajudá-la. Sua única amiga era a Dona Dora.

Quando as coisas ficavam realmente ruins em casa, nós corríamos para o apartamento da Dona Dora, que morava no segundo andar. Ela era maravilhosa, ficava conosco à noite, nos dava comida e nos deixava brincar com seus filhos. Ela era uma santa, e algum dia certamente vai ficar ao lado de Deus.

Às vezes, seus filhos implicavam conosco, mas sua família, definitivamente, era muito condescendente. Geralmente, minha mãe aparecia no seu apartamento sem avisar, nervosa e desesperada, com quatro crianças a tiracolo, dizendo que acabara de brigar com o marido.

As agressões

Eu e meus irmãos normalmente éramos comportados. Quase nunca tínhamos chance de fazer nada, pois sempre fomos severamente punidos por qualquer deslize. Enquanto meu pai preferia bater com as próprias mãos, minha mãe se tornou especialista em usar o fio do ferro de passar, ou então o que estivesse ao seu alcance. Eu me lembro de ter apanhado com todo tipo de coisa — sapatos, ferro de passar, fios e cintos, além de ter sido ameaçado com facas em várias ocasiões.

Mas a pior forma de agressão do meu pai, provavelmente devido ao seu brilhante cérebro, era a tortura psicológica. Uma vez, meu irmão deixou cair algo que acabou entupindo o vaso sanitário. Meu pai ficou tão furioso que arrancou a privada do chão, pegou o objeto do cano de esgoto e amarrou no pescoço do menino, que foi obrigado a ficar com aquilo por um dia inteiro. Eu me arrepio só de lembrar. Foi traumático. Um homem desses não estava apto para ter filhos. E acho, sinceramente, que ele nem mesmo gostava de ser pai.

Por sorte, ele ficava ausente a maior parte do tempo. Saía no início da manhã e voltava para casa tarde da noite, e não passava as férias com a família, exceto uma única vez, a qual foi um desastre!

No que diz respeito a planos e objetivos, apesar de falarem muito, eles nunca procuravam realizar seus sonhos ou cumprir suas promessas. Aliás, os sonhos eram sempre os dele, assim como as escolhas e a palavra final em tudo.

Essa falta de comprometimento dos meus pais com o que quer que fosse foi a principal razão para que eu me tornasse obsessivo em cumprir as promessas feitas aos meus filhos, Sydney e Robby. Pela graça de Deus, até hoje, nunca fiz promessas que não pude cumprir. Por causa do mau exemplo dos meus pais, não suporto pessoas que falam muito e fazem pouco.

A casa de Ilhabela

Quando mais jovens, meus pais sonhavam em abrir um hotel na Ilhabela, no litoral sul do estado de São Paulo. A ilha, cujo nome foi dado em homenagem a uma princesa chamada Isabela, ainda hoje é um lugar lindo, com praias maravilhosas. Um verdadeiro paraíso tropical.

Meu pai comprou um terreno na ilha quando ainda não tinha quase ninguém e os lotes custavam bem pouco. Não havia estradas pavimentadas nem eletricidade. Ele começou a construir, mas, como era de se esperar, nunca terminou como devia. O resultado foi uma casa bem simples. A construção foi erguida com blocos de cimento e concreto, típica naquela época. As janelas eram de madeira, mas permaneceram inacabadas, as vigas do teto ficaram aparentes e a vedação nunca foi concluída. Como a junção do teto com as paredes não era devidamente vedada, a casa era constantemente invadida por insetos, morcegos e cobras. Não tínhamos água tratada nem eletricidade. O único acesso à água era através de uma torneira que ficava na frente da casa, ligada a um poço artesiano.

Era tudo tão precário que a água precisava ser retirada da torneira em um balde para ser usada como descarga no banheiro. O piso fora deixado apenas no cimento grosso, e havia restos de material de construção espalhados pela casa toda. Infelizmente, não há nenhuma foto dessa época. Aliás, tenho pouquíssimas fotografias da minha infância e adolescência.

Nossa "casa de praia" ficava em um local tão ermo que todos os mantimentos precisavam ser comprados em São Sebastião, a cidade mais próxima.

A viagem à Ilhabela, naquela época, era uma verdadeira aventura. Demorávamos 3 horas em um ônibus velho, sacudindo por estradas esburacadas. Em alguns trechos do percurso, o caminho era tão sinuoso e estreito que parecia que iríamos cair no precipício. Minha mãe sempre viajava sozinha, mesmo com os filhos pequenos, e algumas vezes chegava a passar mal. A última parada era em São Sebastião, onde pegávamos a balsa para fazer a travessia até a ilha.

Depois de desembarcar da balsa, seguíamos em um pequeno barco a motor até a praia do Perequê, e de lá ainda era preciso fazer uma caminhada de um quilômetro, carregando malas e sacolas. Quando chegávamos na casa, sempre abandonada e suja — já que era utilizada apenas duas semanas por ano —, era preciso fazer uma faxina e tanto se não quiséssemos dormir entre formigas enormes, aranhas, morcegos e cobras. E nós fazíamos isso todo ano, durante o verão.

Quando eu ainda estava nos primeiros anos do ensino fundamental, tive muitos problemas respiratórios devido à poluição de São Paulo. Então, ficamos em Ilhabela por um bom tempo. Hoje em dia, não consigo imaginar como uma mulher frágil, de 30 e poucos anos, com quatro filhos pequenos, variando entre 1 a 7 anos de idade, aguentava fazer aquelas viagens, cuidando de tudo sozinha, em condições tão precárias. Uma vez, na estrada para São Sebastião, nosso ônibus foi invadido por bandidos armados. Por sorte, alguns passageiros conseguiram sinalizar para os carros que vinham em sentido contrário e a polícia foi avisada.

Vinte e seis anos mais tarde, quando eu e Hayley ainda estávamos noivos, resolvi trazê-la ao Brasil, e também quase fomos assaltados. Depois de passar alguns dias em São Paulo e na Ilhabela, eu queria que ela conhecesse a estátua do Cristo Redentor, no Rio de Janeiro, onde eu pretendia pedir sua mão em casamento. Eu já era médico, mas fazia apenas um ano e meio que exercia a profissão, e ainda não havia conseguido me estabilizar financeiramente. Aquela viagem foi um gasto bem elevado para as minhas possibilidades. Ficamos nos hotéis mais baratos e alugamos um carro. Depois de passar a noite em Ilhabela, demos um último mergulho naquela linda praia e voltamos para São Paulo. Ao entardecer, seguimos para o Rio de Janeiro.

Como a viagem seria feita entre as duas cidades mais importantes do Brasil, eu acreditava que a rodovia estivesse em bom estado, bem iluminada e com policiamento suficiente, e que não haveria nada com o que se preocupar. Entretanto, foi um pensamento ingênuo de quem morava nos Estados Unidos havia anos e estava acostumado com boa infraestrutura e segurança nas estradas.

A via Dutra, rodovia que liga as duas cidades, tinha apenas 2 faixas em cada sentido. À certa altura, em um trecho rural, alguns ladrões haviam derrubado uma árvore no meio da pista e atearam fogo, fechando a rodovia. Assim que a fila de carros começou a se formar, eles iniciaram um "arrastão", assaltando um por um. Eu me lembro de tentar esconder a Hayley no banco de trás, embaixo de algumas toalhas de praia. Naquele momento, só me preocupava em tentar protegê-la. Eu podia ouvir os assaltantes gritando, se aproximando do nosso carro. Cheguei a abrir uma faca de bolso e me preparei para o pior. Mas, por uma bênção dos Céus, a Polícia Rodoviária chegou bem a tempo de nos salvar daquela situação.

Passado o susto, seguimos com nossa viagem para o Rio, e com direito a um final feliz: Hayley aceitou a minha proposta de casamento!

Manias e megalomanias

Os problemas psicológicos do meu pai ficavam evidenciados através de uma infinidade de atitudes e comportamentos doentios. Sua obsessão por carros, por exemplo, era gritante. Meu pai tinha mania de comprar carros, a maioria velhos, mas não dirigia nenhum! Costumava apenas desmontar as peças e nunca mais as colocava no lugar. Um deles, um Jipe de estilo militar, era mantido na garagem do prédio e quase nunca era usado. Eu tenho uma vaga lembrança de ter andado apenas uma ou duas vezes naquele carro. Fora isso, se quiséssemos ir a algum lugar, tinha que ser a pé ou de ônibus.

Minha mãe até que tentou aprender a dirigir. Mas ao tirar o jipe da garagem, ela raspou o carro em uma coluna, desnorteada com os gritos do meu pai. A experiência foi tão traumática que ela nunca mais tentou dirigir.

Esse hábito do meu pai, de desmontar coisas e nunca mais remontar, até hoje, é algo que eu não compreendo, pois ele foi um dos melhores engenheiros da sua universidade. E um profissional bastante competente. Seria normal que tivesse habilidade para, ao menos, manter seu próprio carro em bom estado. Para ele, isso deveria ser simples.

Como profissional, era considerado confiável, pontual e competente. Sempre recebia elogios por suas realizações na engenharia.

Ele chegou a participar dos famosos projetos que redesenharam o Ford Mustang e o lendário Jeep, junto com Lee Iacocca. Na Ford Motor Company do Brasil, chegou a ser engenheiro-chefe, mas quando foi convidado para assumir a gerência, ele recusou. Pouco tempo depois, aos 58 anos de idade, ele recebeu uma herança com a morte do meu avô e pediu demissão. Ele nunca mais voltou a trabalhar. Essa decisão acabou trazendo grandes problemas financeiros a ele.

Eu passei quase toda a minha juventude com vergonha de fazer parte daquela família estranha que morava no apartamento 86, a família que não falava com ninguém! Por mais absurdo que pareça, meu pai sempre achou que todos ao nosso redor eram inferiores! Só não sei em quê estava baseada essa sua megalomania. Se cruzasse com alguém no elevador ou no corredor do prédio, ele geralmente esboçava um pequeno sorriso ou cumprimentava com um rápido "olá", mas nunca puxava assunto ou criava qualquer tipo de amizade. Eu e meus irmãos éramos submetidos a intermináveis sermões explicando como as pessoas ao nosso redor eram mal-educadas, burras e sem cultura. Éramos convencidos a não fazer amizades nem mesmo desenvolver qualquer tipo de contato com outras pessoas. Por isso, raramente falávamos com alguém. E, além de "estranhos", também éramos aqueles que tinham um cheiro "esquisito" (já que meu pai achava que banhos eram prejudiciais à saúde). Para muitos, nós éramos apenas aqueles que viviam sempre tristes.

O desejo de ter um lar

Ao refletir sobre os pensamentos que eu tinha quando criança, só encontro vergonha, insegurança, medo, raiva e muitos sonhos com lugares distantes. Eu desejava coisas simples, como um sofá. Não me importava tanto em ser pobre, mas queria ser normal. Quando busco na memória uma imagem de onde eu vivia, só me vem a escuridão. A forma como eu ajo e me relaciono com meus filhos tem uma relação clara com o que eu vivi, pois sempre procuro fazer o oposto do que os meus pais faziam. Não meço esforços para ter um lar harmonioso e não poupo nenhum detalhe para torná-lo acolhedor.

Quando Hayley e eu nos casamos, nosso primeiro apartamento era um lugar acolhedor e cheio de amor. Apesar de termos pouco dinheiro — pois eu havia feito muitos empréstimos para pagar a faculdade de medicina — tínhamos grandes sonhos. Na época, só conseguíamos pagar o aluguel. O apartamento ficava no térreo, perto de uma clínica comunitária, na cidade de Los Angeles. A clínica atendia usuários de drogas e, eventualmente, havia alguns tiroteios nos arredores. Mesmo assim, era um lar feliz. Anos depois, com a graça de Deus, que foi muito generoso conosco, fomos viver em uma bela casa. Mesmo sendo bem ampla, conseguimos fazer dela um lugar acolhedor. Nessa minha jornada mortal, acabei descobrindo que a riqueza não é imprescindível para se ter um lar. Limpeza, carinho, bondade, perdão e muito amor são suficientes!

Meus filhos têm uma vida muito diferente da que eu tive na infância. Enquanto eu vivi uma situação de miséria — financeira e afetiva — e estudei em escolas públicas, cuja qualidade de ensino era precária e deficiente, eles tiveram a oportunidade de desfrutar de muitas coisas. E a possibilidade de proporcionar isso a eles é um fruto do meu trabalho que me enche de satisfação. A escola em que estudam, por exemplo, fica em um lugar lindo, com belas colinas verdes, pássaros, cervos e vales floridos. Por ser em uma montanha, o local oferece uma vista panorâmica de Sierra Madre, uma cordilheira de picos nevados, e do majestoso Oceano Pacífico. As classes têm poucos alunos e os professores são extremamente preocupados e dedicados às necessidades específicas de cada criança. O ambiente traz segurança, calma, felicidade, familiaridade, paz e reflexão. Uma realidade completamente oposta da que eu vivi.

Por uma série de razões, apesar de toda a preocupação que eu sempre tive em cuidar da minha mãe, e ajudá-la financeiramente, nós não somos muito ligados.

Dos quatro filhos, eu era o mais parecido, fisicamente, com o meu pai. Além disso, infelizmente recebi o seu nome, Roberto Miguel Rey. Minha mãe sempre fez questão de mencionar isso de uma maneira depreciativa, e eu sabia que ela o odiava. Mesmo hoje, ainda sinto que ela, até certo ponto, se entristece por isso.

No fundo, eu sempre achei que ela poderia ter feito mais por nós, mesmo que o meu pai tenha sido um monstro naquele triste cenário. Acho que ela poderia, ao menos, ter nos proporcionado um ambiente mais limpo e menos confuso, ainda que humilde. Um lar de verdade não depende do valor nem do tamanho do imóvel, de móveis ou objetos de decoração luxuosos. Na verdade, lares mais humildes podem emanar mais carinho e serem muito mais acolhedores. Amor, perdão, compreensão, felicidade, objetivos comuns e união são a essência do que difere uma casa de um verdadeiro lar. No entanto, existem algumas coisas práticas que também devem ser incluídas: uma casa deve ser bem iluminada, ter as paredes pintadas, ser limpa, organizada e conservada. Enfim, tudo o que não tivemos.

Nossa casa não somente era imunda, como também entulhada de coisas inúteis. E meus pais não se desfaziam de nada. Eram, de fato, acumuladores compulsivos. O espaço ocupado com o armazenamento traz consequências psicológicas graves, pois viver no meio da desordem é extremamente prejudicial. Meu Deus é um Deus de ordem e perfeição! Desde a precisão das órbitas no espaço até a complexidade perfeita do corpo humano, ou mesmo a complexidade delicada de uma única célula, com a consistência de partículas atômicas e subatômicas. A perfeição da ordem divina é óbvia.

Nesse aspecto, hoje eu sigo uma regra simples: se algo não for usado em um período de 1 ano, será doado a instituições de caridade ou descartado de forma correta, sem prejuízo ambiental.

A escola

Minhas lembranças mais antigas são do jardim de infância. Eu me lembro de gostar de uma menina chamada Márcia. Ela tinha cabelos e olhos castanho-claros, era magra, tinha a pele clara e a voz suave. Éramos amigos e ela me tratava muito bem.

A professora era muito boazinha e, se ficássemos comportados, podíamos sair logo para brincar. Era uma escola pública típica, bem simples e precária, mas tinha um terreno enorme, com um grande jardim e muitas árvores, repletas de pássaros e outros animais. Na verdade, creio que o meu amor pela natureza tenha começado lá!

Depois do jardim de infância, eu passei a frequentar a escola primária Pereira Barreto, uma escola pública que ficava a um quarteirão de distância do meu prédio. Comecei a primeira série no início de 1969, e tive que me esforçar muito, pois fui o último da classe a aprender a ler.

Uma das coisas boas daquela escola era o uso obrigatório de uniforme, incluindo um boné com a bandeira nacional bordada. Como tínhamos poucas roupas, eu certamente seria ridicularizado se não usasse uniforme.

Como consequência da minha baixa autoestima, eu tentava aparecer do pior modo possível. Conversava muito em sala de aula, não prestava atenção, não fazia lição de casa e não estudava para as provas. Com isso, acabei sendo odiado pela professora! Seria inadmissível nos dias de hoje, mas, muitas vezes cheguei a ser punido fisicamente, dentro da sala de aula. Geralmente, apanhava com uma régua, ou então, era colocado de castigo em um canto da classe. A professora era uma senhora de idade, cujo olhar assustador fazia qualquer criança da sala tremer de medo! Ainda assim, eu não baixava a cabeça. Continuava rindo para os meus colegas de classe, embora, por dentro, me sentisse profundamente humilhado.

Só mais tarde na vida, percebi que o sentimento de humilhação pode ser um aliado. Foi a humilhação que passei durante a segunda série que me incentivou a ser um bom aluno e, eventualmente, um empreendedor.

Conforme eu crescia e constatava o abismo de anormalidade em que vivia, passei a manter certa distância das outras crianças. Eu tinha bem poucos amigos, porque, literalmente, tinha pesadelos só de imaginar que algum dia um deles pudesse aparecer na minha casa ou conhecesse meus pais.

Meus pais nunca me levavam nem buscavam na escola. Eles não pareciam se preocupar muito com a nossa segurança, mesmo morando em uma das cidades mais perigosas do mundo. Minha irmã mais velha pegava um ônibus, sozinha, para ir à escola. Eu ia a pé, pois estudava mais perto de casa.

Em uma ocasião, eu escapei da morte por milagre. Na saída da escola, passei correndo entre dois carros em uma rua movimentada e quase fui atropelado. A freada foi tão brusca que o carro continuou derrapando na minha direção, cantando os pneus, até que finalmente parou. Tudo aconteceu muito rápido, mas, para mim, pareceu uma eternidade. Fiquei tão envergonhado que voltei para casa correndo.

Quando cheguei ao terceiro ano, tudo mudou na minha vida escolar. Eu me sentia tão mal pelo meu fraco desempenho no ano anterior, que decidi mudar. Nunca fui de ficar no meio do caminho, quando faço algo, eu vou inteiro. Naquele ano, aprendi a estudar. E foi naquele momento da minha vida que nasceu em mim a ambição de querer sempre melhorar em tudo. Comecei a passar longos períodos fazendo as minhas tarefas de casa e não só as concluía a tempo, como fazia tudo muito bem feito. Caprichava na caligrafia, deixava tudo colorido e usava a régua, para deixar a escrita mais elegante e precisa.

Até a quarta série, eu costumava apanhar de alguns garotos na escola. Eles me esperavam no caminho de volta para casa e, assim que me viam, começavam a me jogar de um lado para o outro. Além de inseguro, eu era muito franzino, o que me tornava uma vítima perfeita para *bullying*.

Não importava o que eu fizesse, o quanto tentasse ficar quieto ou não revidar às provocações, não tinha como escapar dos garotos que me batiam. Eles estavam sempre à minha espera. Eu nunca soube a razão para que agissem daquele modo, com aquela agressão gratuita, do nada. Os ataques eram constantes, por isso, todo dia eu mudava o caminho de volta para casa. Quando a aula estava para acabar, eu já começava a pensar no caminho que deveria fazer para voltar para casa sem apanhar. Durante anos aquele medo ficou impregnado no meu coração. A raiva contra esse sentimento de impotência definitivamente me colocou no caminho das artes marciais. Eu estudei luta greco-romana, Taekwondo, Hapkido, Jiu-Jítsu, Capoeira, Krav Magá, Jeetkune e Karate por 35 anos, obsessivamente, como uma sequela dessa época terrível da minha infância.

Meu amigo Reinaldo

Durante o tempo em que estudei no Brasil, eu tive apenas uma amizade significativa, com um garoto chamado Reinaldo. Ao me lembrar dele, não consigo deixar de sorrir. Era realmente um ótimo amigo.

Eu o conheci na aula de ciências, na 5ª série. Era um menino alto e quieto, e não fazia parte de nenhum grupo. Tínhamos em comum um profundo interesse pela ciência, aliás, na verdade, éramos obcecados pela ciência. Chegávamos a passar horas lendo e discutindo sobre o assunto, realizando experiências ou estudos de campo, indo a áreas florestais em São Paulo para estudar girinos, plantas e animais. Ele, definitivamente, incentivou o meu amor pela ciência.

Reinaldo não me julgava da forma como eu acreditava que as outras crianças faziam, quando olhavam para minhas roupas encardidas e rasgadas. Ele fingia não perceber o quanto meu pai era problemático, ignorava o fato de que minha família era totalmente anormal e que vivíamos em péssimas condições. Resumidamente, ele me aceitava como eu era. Além disso, ele se tornou o meu protetor na escola. Reinaldo sofria de diabetes juvenil e costumava dizer que situações de estresse alteravam os seus níveis de glicose e, com isso, ele tinha acessos de fúria. Era como se ele fosse o meu Incrível Hulk! Quando algum valentão zombava de nós ou tentava nos atacar, simplesmente por sermos os *nerds* da escola, Reinaldo passava por uma metamorfose bizarra: o menino risonho e bem educado se transformava em um garoto ensandecido de olhos raivosos, com as veias do pescoço saltadas e punhos em riste. Gritava e atacava como um furacão!

Esses acessos de raiva eram tão assustadores que ninguém se atrevia a mexer com ele na escola. E sua reputação também ajudou a salvar a minha pele, várias vezes! Hoje eu sei que os hormônios do estresse afetam o metabolismo da insulina e, por consequência, os níveis de glicose. E um efeito colateral possível de hiperglicemia ou hipoglicemia é a irritabilidade excessiva.

Curiosamente, mesmo eu tendo deixado o Brasil após a 5ª série, e perdendo o contato com ele, as nossas carreiras profissionais seguiram de forma semelhante. Mais tarde, soube que ele fez Medicina, teve uma vida acadêmica brilhante e se especializou como endocrinologista.

As doenças

Outra parte desgastante da minha infância estava relacionada à saúde. Em razão das nossas péssimas condições de vida, sofríamos com todo tipo de doenças. Meu irmão, por exemplo, teve meningite e hepatite, e eu tive pneumonia bacteriana e osteomielite, além de sofrer anos com doenças respiratórias crônicas. E nunca tivemos um plano de saúde, dependíamos tão somente de hospitais públicos. Eram longas filas de espera e um péssimo atendimento.

Depois de formado, eu trabalhei em muitas clínicas e hospitais públicos. Contudo, sempre tive a preocupação de atender aos pacientes da melhor maneira possível, pois sei exatamente qual é a sensação de ser desprezado e tratado como um animal. Por isso eu tento ajudar o máximo possível as pessoas esquecidas pela sociedade! Todo ano, além de ajudar financeiramente pessoas carentes em várias partes do mundo, eu participo de missões humanitárias com atendimento médico e cirúrgico.

Mas as doenças físicas não eram as mais preocupantes. Diante daquela vida tão estressante, uma válvula de escape para a minha mãe eram as ideias suicidas. Ela falava sobre isso conosco com frequência e sem nenhum pudor. Na verdade, como ela não tinha amigas, as minhas irmãs, mesmo sendo ainda meninas, acabavam tendo que servir de ouvintes para todas as suas mazelas.

Muitas vezes, ela falava em acabar não somente com a própria vida mas também com a dos filhos. Eu ainda me lembro nitidamente dessas conversas. Ela nos levava para o quarto, geralmente após uma briga violenta com o meu pai, e falava sobre um "suicídio coletivo"!

Em seu plano insano, acreditava que não deveria deixar nenhum de seus filhos para trás, ao alcance daquele monstro mentalmente instável que era o meu pai. Essas conversas suicidas deixaram marcas traumáticas consideráveis em mim e nos meus irmãos.

Depois de adulto, toda vez que sofri com as tempestades da vida, como na competição brutal durante a faculdade de medicina, o período desumano que passei na residência, as doenças graves na família e outros percalços, as ideias suicidas tentaram abrir caminho em meu pensamento consciente. Algumas vezes, elas invadiam minha mente de maneira involuntária, e me pegavam de surpresa. Felizmente, os anos em que convivi com missionários cristãos em Utah me deram uma formação psicológica e espiritual muito firme, ferramentas importantes para que eu aprendesse a lidar com esses desafios. Na minha profissão, esse é um risco constante. Tive muitos colegas que cometeram suicídio. Eu não sei, de fato, quais foram as suas razões, e me pergunto se os motivos não estariam relacionados às frustrações causadas pelas limitações da medicina, pois nem sempre é possível salvar uma vida ou aliviar o sofrimento das pessoas.

A viagem da minha mãe

Provavelmente por ter vivido no período da Grande Depressão, a maior crise financeira mundial do Século XX, meu pai era extremamente econômico e mesquinho. Não que isso seja algum tipo de desculpa para tudo o que ele fazia, mas pode ter contribuído para o seu quadro doentio.

Por esta e outras razões, não tínhamos telefone em casa. A família da minha mãe, sendo pobre e vivendo em uma zona rural, também não tinha telefone. O correio naquele tempo não era como hoje e mesmo o envio de cartas simples era muito demorado. Sendo assim, minha mãe tinha poucas informações sobre o estado de saúde da minha avó, ou o paradeiro das irmãs e dos sobrinhos.

Meu pai sempre fez questão de nos manter distantes da família dela. Minha avó materna, já bem idosa, também havia sofrido muito com a violência doméstica e vivia em situação de extrema pobreza. Minha mãe queria muito ajudá-la, mas ele nunca permitiu que ela sequer a visitasse.

Porém, por volta de 1969, depois de muita insistência, minha mãe finalmente conseguiu que ele a deixasse viajar para o Rio Grande do Sul. Meu avô já tinha falecido, de câncer na garganta, havia alguns anos, mas ela poderia rever a mãe, as irmãs e os sobrinhos.

Muito provavelmente, sua súbita benevolência tenha sido apenas uma forma de se livrar dela por algum tempo, para que ele pudesse sair mais à vontade com suas namoradas, sem maiores preocupações. Aproveitando a alforria, minha mãe viajou sem data para retornar.

E eu, que já achava a vida difícil, vi que tinha como piorar.

Com todo o respeito aos prisioneiros de guerra, guardadas as devidas proporções, eu acredito que tive uma pequena amostra de como é viver em um campo de concentração.

Se o fato de conviver com um pai mentalmente perturbado já era uma experiência inesquecível, passar por isso sem o auxílio de uma mãe foi, mesmo que por algum tempo, como viver em um inferno na terra.

Meu pai sempre teve ideias radicais sobre dietas. Sua forma de cozinhar estava longe (mas muito longe mesmo!) do convencional. Às vezes, ele enchia uma panela com água e adicionava vários grãos crus para cozinhar, sem nenhum tempero. E era isso que servia para nós, seus quatro filhos pequenos! E quando achava que precisávamos de proteína, ele simplesmente jogava um frango inteiro em uma panela, com pele e tudo, deixava ferver, sem tempero algum, e pronto. Era o que tínhamos para comer.

Por sorte, ao lado do nosso prédio havia uma casa com um terreno cheio de galinhas. Elas se fartaram de tanta comida que caía do alto, pois quando meu pai saía da sala, corríamos para jogar aquela gororoba pela janela!

Ele gostava de silêncio e não permitia que fizéssemos qualquer barulho em casa, o que era praticamente impossível para quatro crianças pequenas. Éramos repreendidos até por tossir! Vivíamos apavorados.

Todas as noites, quando ele voltava do trabalho, nós ficávamos escondidos. E não era para brincar de esconde-esconde; nós realmente tínhamos pavor dele. O medo era tão intenso que dava pânico só de ouvir o som das chaves que ele carregava no bolso. Meu pai carregava um chaveiro com um número absurdo de chaves, o suficiente para encher suas mãos.

Quando ele saía do elevador, era possível ouvir claramente o tilintar das suas chaves ecoando pelo corredor. Depois disso, nós começávamos a correr pelo apartamento, procurando um lugar para se esconder. Isso geralmente o deixava bem irritado. Até hoje, o som de chaves tilintando em um chaveiro me causa arrepios.

Nos finais de semana, meu pai nos obrigava a correr. A ideia de que todos deveriam se exercitar até que era boa, embora incomum na época, mas ele não poderia deixar de adicionar a isso uma boa dose de esquisitice e uma pitada de terror. Começando com o traje completamente impróprio, que consistia em uma camisa branca com as mangas enroladas até os cotovelos, calça social com cinto de couro, sapatos e meias pretas. Ele nunca usava camiseta, agasalho ou bermuda. Eu e meus irmãos (com idades que variavam entre cinco e onze anos), tínhamos que acompanhá-lo, primeiro em uma caminhada de quase um quilômetro (subindo uma ladeira!), e depois, ao chegar na parte plana, meu pai começava a correr.

Era surreal. Quatro crianças maltrapilhas correndo em fila, tentando acompanhar o ritmo do pai que seguia na frente, em um trajeto que incluía a calçada de uma avenida movimentada. Os mais novos, que se cansavam mais rápido, acabavam ficando para trás. Essas corridas eram tão extenuantes que em uma delas eu desmoronei e tive que ser carregado por um longo percurso, de volta para casa.

Depois de algum tempo sem a minha mãe, meu pai começou a ficar preocupado. As cartas eram poucas e demoravam a chegar. O único meio de comunicação que ele conseguiu para tentar encontrá-la foi através de um rádio amador, algo bem comum naquele tempo. Lembro-me de acompanhar o meu pai, juntamente com os meus irmãos, até a casa de um operador de rádio amador de ondas curtas. Era um aparelho enorme, do tamanho de um órgão, todo preto, cheio de mostradores e luzes. Ficamos sentados atrás do operador, enquanto ele entrava em contato com vários operadores de rádio no Sul do país, até que, finalmente, a minha mãe foi localizada. Meu pai fez com que ela retornasse logo, graças a Deus!

Os primos

Quando minha mãe voltou do Sul, não estava sozinha. Sua família havia se dispersado, caído ainda mais na pobreza e precisava desesperadamente de ajuda. Sua irmã, Elvira, tinha quatro filhos e um marido alcoólico violento, sem emprego estável. Antes de voltar para casa, minha mãe implorou ao meu pai para que deixasse trazer os filhos de sua irmã para morar conosco.

Quando eu vi, mal pude acreditar!

Mesmo com todas as nossas dificuldades, minha mãe decidiu trazer para São Paulo nossos cinco primos: Leila, Sonia, Janice, Gelson e Jair. Aquilo foi um absurdo! Como meus pais conseguiram acomodar onze pessoas em um apartamento mínimo, totalmente bagunçado e caindo aos pedaços?

Mesmo agora, enquanto escrevo isso, faço uma grande força para não julgar meus pais nem submetê-los à minha raiva.

Bem, não é preciso nem dizer que a situação em casa ficou ainda pior! Nove crianças e dois adultos morando em um apartamento que mal comportava uma família de seis, e que parecia ficar ainda menor graças a um pai egoísta que fazia questão de manter um quarto só para ele!

Com a chegada dos nossos primos, eu voltei a dormir com a minha mãe na sala. Não que eu fosse o favorito, apenas porque eu vivia doente.

A situação dos meus primos era realmente de miséria. Estavam desnutridos, tinham pouquíssimas roupas e precisavam de cuidados médicos. Minha mãe, generosamente, cuidou deles e repartiu o pouco que tínhamos.

Eu vivi, nessa época, uma das fases mais tristes da minha infância. Meus irmãos e eu não tínhamos capacidade para compreender essa atitude da minha mãe e, como sempre fomos negligenciados, ficamos enciumados daquela situação; por isso, não acolhemos aquelas crianças como deveríamos. Até hoje, sou tomado pelo remorso.

Nós recebíamos tão pouco amor, éramos tão criticados por nossos pais e tão carentes das necessidades básicas que acabamos descontando tudo em cima dos nossos primos. Eu me arrependo muito por tudo que fizemos e, especialmente, por deixá-los tão deslocados e desconfortáveis. Eu perdi o contato com eles há quase 40 anos, mas, se encontrá-los um dia, vou pedir desculpas do fundo da minha alma!

Eles moraram conosco por cerca de três anos e depois voltaram para o Rio Grande do Sul. Os rapazes, mais velhos, foram embora antes, e as meninas ficaram um pouco mais. Se a vida já era horrível para nós, para meus indesejados primos, então, deve ter sido um inferno. Eles eram tão solitários e tristes que acabavam procurando amor e aceitação fora da nossa casa. Minha prima mais velha, na época com não mais que 12 anos de idade, começou a namorar o professor de música, um homem casado. Quando isso veio à tona, criou um caos em casa. Ela foi humilhada pelos meus pais e agredida verbalmente por nós. Muitas vezes me pergunto como ela suportou tudo aquilo. Desde então, eu sinto culpa por não ter tratado os meus primos com mais respeito e amor — talvez pudesse ter evitado esses desvios. Mas eu era tão triste e infeliz que não me sentia capaz de transmitir amor a ninguém. Por causa desse envolvimento com um homem mais velho, ela foi enviada de volta para o Sul.

As cartas, o trem e o curso de sobrevivência

Enquanto brincávamos no quarto, meu pai costumava trabalhar na mesa da sala, muitas vezes apenas de cueca e meias. Era uma visão e tanto.

Normalmente ele ficava ali escrevendo cartas, em silêncio, totalmente focado na sua velha máquina de escrever e sempre datilografava em duas vias, usando um papel carbono para fazer a cópia. O inusitado era que ele sempre datilografava em pé! Enquanto tentava formular sua frase seguinte, ele tinha uma mania: batia com o punho fechado nas nádegas, por vários minutos, até encontrar a melhor forma de escrever. Eu nunca soube a quem eram endereçadas aquelas cartas e muito menos o que diziam.

À noite, entrava em vigor o seu "toque de recolher". Isso estabelecia que deveríamos ficar absolutamente quietos, quase em estado de meditação! Se um de nós deixasse cair alguma coisa acidentalmente ou fizesse qualquer barulho mais alto, ele bufava longamente, soprando o ar comprimido pela boca. Ou, então, encarava o "infrator" com um olhar que faria o sangue gelar nas veias.

Quando não estava escrevendo, ele costumava ficar ouvindo música. E quase sempre o mesmo tango de Carlos Gardel. Às vezes, distraído, emitia vários tipos de ruídos de trem (anos antes, ele havia trabalhado como engenheiro mecânico na Baldwin, uma empresa que fabricava trens).

Em nossa casa, nunca tivemos nenhum tipo de comemoração, nem de aniversário, nem de Natal. No fim do ano, porém, a Ford costumava enviar uma cesta para cada um dos filhos dos funcionários — e foram os únicos presentes que ganhamos durante a nossa infância. Quando a Ford parou com essa tradição, o nosso Natal também acabou.

Eu me lembro apenas de um Natal que se tornou especial porque meu pai trouxe para casa um trenzinho elétrico, em uma plataforma enorme, de quase 2 metros, com trilhos que passavam no meio de várias paisagens. Era uma réplica perfeita de um trem a vapor. Os vagões tinham luzes internas e a locomotiva possuía uma chaminé que soltava uma fumaça, com um agradável cheiro de incenso, do qual eu ainda me lembro, até hoje. Ele montou a plataforma na sala e passamos horas observando aquele trenzinho atravessando o campo em miniatura. Ele apagava a luz e os vagões iluminados ficavam ainda mais bonitos. Até o som era parecido com o de um trem de verdade.

No começo, não podíamos mexer em nada, só olhar, mas com o tempo, meu pai acabou permitindo que brincássemos com o trenzinho.

Desde pequenos, recebíamos constantemente do meu pai ensinamentos e instruções táticas de como sobreviver a vários tipos de catástrofe. Era como um curso intensivo. Ele nos levava para a sua "masmorra" (seu quarto escuro e assustador), um de cada vez, e falava sobre o tema do dia. Depois de ensinar a cada criança como sobreviver a uma queda de avião, por exemplo, era preciso esperar do lado de fora do quarto. Assim que o último saía, passávamos por um "exame final", e as respostas corretas eram premiadas com dinheiro. Os temas eram os mais variados, desde como proceder em caso de ataque nuclear até formas de defesa pessoal!

Hoje, pensando em todas as coisas bizarras que meu pai fazia, vejo que suas ideias não eram totalmente loucas, mas a sua maneira incomum fazia tudo parecer insano.

Em razão dos traumas que ele sofreu com o jeito seco e estúpido do meu avô, eu sei que no fundo ele queria ser um pai diferente, mais tolerante, que incentivasse a criatividade de seus filhos. Mas ele fracassou em praticamente tudo. Uma das únicas positivas que eu guardei em minha mente, por mais estranho que possa parecer, foi a liberdade que ele nos deu para desenhar nas paredes da casa.

Apesar de toda a sua loucura, essa intenção de incentivar os filhos a escrever, desenhar e pintar, nem que fosse nas paredes da casa, era algo bom. Inicialmente, parecia uma opção paradisíaca para quatro crianças entediadas. Nós desenhávamos em praticamente todas as paredes do nosso apartamento, que mais parecia uma casa abandonada. Entretanto, à medida que ficávamos mais velhos, o que antes era divertido acabou se tornando um constrangimento. Sentíamos vergonha daquelas paredes rabiscadas e sujas.

A viagem para o Sul

Em uma ocasião, meus pais resolveram fazer uma viagem ao Rio Grande do Sul, com a família toda. Ficamos hospedados na casa de uns amigos do meu pai, antigos conhecidos da época em que ele morou em Porto Alegre.

A casa era térrea, com um quintal amplo e aberto, onde ficamos completamente soltos, correndo livremente pelos arredores, brincando com as crianças do lugar. De vez em quando, eu dava umas escapadas, sozinho, para explorar.

Nos fundos, havia um galpão cheio de quinquilharias e ferramentas — um prato cheio para um curioso como eu. Comecei a mexer em alguns fios, e resolvi montar um sistema elétrico. Depois de várias tentativas, estava finalmente pronto para ligar o rudimentar interruptor que eu acabara de fazer. Meu circuito elétrico funcionou! Só que, infelizmente, funcionou bem até demais…

Ao ligar o circuito, recebi uma descarga elétrica que percorreu meus braços e desceu até os meus pés. Com a força do choque, eu desmaiei. Quando acordei, um dos meus pés estava sem o sapato, e com uma grande laceração na parte de cima. Foi um susto e tanto.

Esse meu entusiasmo pelas ciências, apesar de causar problemas ocasionais, me acompanhou a vida toda, e me impulsionou a construir para os meus filhos um laboratório completo no porão da nossa casa em Beverly Hills. Ele é equipado com microscópios e tudo o que é necessário para experimentos em biologia, geologia, física, além de tanques e aquários para animais aquáticos. Há também diversos livros de ciência e as paredes são cobertas por pôsteres ilustrados com o tema.

O risco dos desvios

Nós sempre usávamos roupas doadas, passando de um irmão para o outro. Eu me lembro de usar calças apenas na minha adolescência. Até então, usava apenas bermudas. Além da falta de roupas, nós também passávamos fome regularmente, pois a geladeira estava sempre vazia. Para crianças em idade de crescimento, isso foi particularmente doloroso.

Eu e meus irmãos começamos a fazer pequenos furtos para tentar saciar um pouco a vontade de comer coisas às quais não tínhamos acesso. Quando os donos dos mercadinhos locais não estavam olhando, roubávamos doces, pães, azeitonas ou uvas. Muito provavelmente, se eu não tivesse saído do Brasil, meu destino não seria nada bom.

Os missionários

Embora eu tenha nascido católico, meus pais raramente me levavam à igreja. Não fiz a Primeira Comunhão, nem participei de missas ou qualquer outra cerimônia de adesão à fé católica. Eles sequer nos levavam à Missa de Natal ou de Páscoa, mesmo havendo uma igreja a apenas duas quadras de casa. Meus pais não se importavam muito com a educação religiosa. Entretanto, eu me lembro da minha mãe ajudando uma freira idosa, sempre que ela vinha ao nosso bairro.

Apesar de nos visitar com alguma frequência, a freira falava muito pouco sobre Deus ou religião. Ela se dedicava, especialmente, a ajudar minha mãe, dando a ela palavras de consolo e um inestimável apoio pelo seu sofrimento.

Meu pai, por sua vez, já havia tido algum contato com missionários mórmons no início de seu casamento com a minha mãe; no entanto, depois de frequentar a igreja algumas vezes, eles acabaram abandonando a religião.

No início dos anos 1970, um gentil e dedicado missionário resolveu se aproximar da nossa família, com o intuito de resgatar meus pais, levando-os de volta às atividades da igreja. Pouco tempo depois, começamos a receber visitas regulares de jovens missionários cristãos.

Eles eram, na maioria, jovens americanos que vinham ao Brasil para ficar por dois anos como voluntários. Normalmente, eles economizavam dinheiro desde a infância para seguir esse caminho, viajando para diversas partes do mundo.

Durante sua permanência aqui, eles geralmente viviam em condições muito humildes, hospedados em casas simples e quase sempre lotadas, embora muitos deles viessem de famílias mais abastadas. Era costume das pessoas da congregação se revezar convidando os jovens missionários para jantar em suas casas. Mesmo com toda a miséria imposta pelo meu pai, nós também os recebemos.

Os missionários viajavam sempre em dupla, usando uma roupa característica: camisa branca, gravata, calça social escura e sapatos. Sua rotina era bem simples, dormiam cedo e se levantavam logo ao alvorecer para estudar as escrituras, diariamente. Ao longo do dia, costumavam visitar os enfermos e transmitiam a palavra das escrituras, ajudavam aos mais necessitados — mesmo aqueles que não pertenciam à nossa comunidade —, auxiliavam na construção de capelas e na realização de reuniões de adoração, ensinavam na escola dominical, ministravam aulas de inglês e trabalhavam nos escritórios da igreja. Sempre fazendo o bem. Tinham um dia de folga por semana, normalmente às segundas-feiras, dia em que costumavam se dedicar aos estudos, fazer exercícios, lavar roupas, limpar o quarto e descansar. Esses jovens não mantinham nenhum tipo de relacionamento amoroso durante o tempo dedicado à missão.

Mesmo tendo a religião como meta, os missionários não "conquistavam" uma família apenas para convertê-la. As necessidades de cada lar eram detectadas e atendidas da melhor forma possível pela igreja. Em famílias muito carentes, muitas vezes, as necessidades físicas eram atendidas muito antes de ser feito o trabalho espiritual. Eu acredito que aqueles missionários americanos perceberam, logo no início, que a nossa família era extremamente desajustada. Inicialmente, eles apenas nos visitavam, tinham longas conversas com os meus pais e brincavam comigo e com os meus irmãos — nós os adorávamos.

Quando eles chegavam, era uma alegria. Era como receber amigos em casa sem nos sentirmos envergonhados pela pobreza do lugar ou constrangidos pelos meus pais. Somente depois de conquistar a nossa confiança e amizade os missionários se sentiram mais à vontade para falar sobre o evangelho. Elder McClure e Orson Scott Card nos deixaram uma impressão especial, pois pareciam realmente preocupados conosco.

A salvação veio inesperadamente, com uma simples batida na porta, em 1974. Esse acontecimento representou o fim de todos os nossos problemas: da fome, do frio, das roupas esfarrapadas, da falta de cuidados com a nossa saúde e, principalmente, o fim das agressões físicas e psicológicas.

O missionário Card veio nos visitar e teve uma longa conversa com meu pai. Por fim, perguntou se ele não gostaria de enviar os filhos para viver com sua família em Utah, nos Estados Unidos. Meu pai não precisou nem de um minuto para responder... aceitou a oferta na hora. Minha mãe, que nunca teve voz ativa em casa, não encontrou alternativa senão concordar.

Muitos anos depois, soubemos que meu pai havia se envolvido com outra mulher — mesmo estando ainda legalmente casado com minha mãe. Hoje, quando penso em como fomos parar lá, vejo que no fundo ele queria mais se livrar da esposa e dos filhos do que melhorar a situação da família.

Seja como for, aquele missionário estava nos oferecendo uma nova vida.

Meus pais passaram a providenciar os vistos e todos os preparativos para nossa viagem aos Estados Unidos. Por razões que eu desconheço, meu pai decidiu que eu e minha irmã mais velha iríamos primeiro. Os mais novos só iriam depois.

Demorou um pouco para conseguirmos os vistos americanos, mas não havia outro jeito, pois precisávamos entrar no país de maneira legal. A espera foi longa! Eu já estava iniciando a 6ª série quando a documentação finalmente ficou pronta.

Arrumamos nossos poucos pertences e nos despedimos dos poucos amigos. A nossa viagem seria em um navio mercante, um cargueiro.

Uma das últimas coisas que eu fiz antes de viajar foi bem esquisita! Por ter sido uma criança com grande interesse em ciências, tive vários animais de estimação e havia criado uma espécie de laboratório dentro de um dos velhos armários em nosso apartamento. Incrivelmente, dado o pequeno espaço, consegui criar duas tartarugas na pequena varanda — um macho e uma fêmea — e sempre desejei que eles tivessem filhotes. Milagrosamente, pouco antes da data programada para a nossa viagem, a fêmea colocou um ovo. Fiquei tão entusiasmado que a minha falta de maturidade falou mais alto. Enrolei o ovo em vários lenços e o coloquei na minha mala. Eu amava aquelas tartarugas e queria levar o "filhote" comigo. O ovo acabou permanecendo intacto, mas, é claro, nunca eclodiu. Depois de alguns meses, começou a exalar um cheiro péssimo e fui obrigado a jogá-lo no lixo!

Meus irmãos

A rivalidade natural entre irmãos é algo que me assombra até hoje, pois eu brigava muito com o meu irmão mais novo. Como eu gostaria de voltar no tempo e desfazer isso! Esse é mais um dos arrependimentos que eu carrego comigo.

Meu irmão nasceu em agosto de 1964 e temos uma diferença de quase três anos. Nossas brigas começaram para valer quando ele tinha cerca de 4 anos de idade. Não eram muito constantes, mas eram bem desagradáveis. Em muitas delas eu acabei por machucá-lo e o fiz sangrar. Eu o provocava, xingava e fazia de tudo para irritá-lo!

Para agravar a minha culpa, meu irmão sempre foi bom comigo. Nos Estados Unidos, ele trabalhou para ajudar a pagar minhas despesas na faculdade de Medicina, e, mais tarde, durante a residência em cirurgia plástica, o motor do meu jipe explodiu enquanto eu dirigia a caminho do hospital. Como eu não podia comprar um outro carro, ele me deu um BMW novinho em folha!

Acho que ele nem se lembrava das minhas malvadezas na infância. Guardou apenas os momentos bons, das vezes em que eu o protegi. Na época da escola, em São Paulo, eu ameacei bater em alguns meninos para defendê-lo, resolvendo a situação. Apesar de nunca reagir às provocações e de sempre apanhar na escola, quando se tratava de proteger o meu irmão, eu perdia o medo.

Durante o período de dois anos em que meu irmão esteve em sua missão cristã, eu escrevia para ele o tempo todo. Uma vez, eu lhe enviei uma carta de onze folhas! Eu percebia que os outros se esqueciam de escrever, e sabia que os missionários sentem muitas saudades de casa.

Já com as minhas irmãs, não havia nenhuma briga fora do normal. Nós brincávamos bastante quando pequenos, muitas vezes de "casinha". Eu costumava fazer o papel de pai e meu nome era sempre "John". Eu era muito ligado a elas. A mais velha, Walkyria, era três anos mais velha do que eu. Tinha uma personalidade bem marcante e sempre me deu muita força. Nós a chamávamos de "Mana". Ela, provavelmente, foi quem viu os maiores horrores da nossa família. Acredito que ela tenha sofrido grandes traumas na infância, pois nunca gostou de falar sobre isso. Mesmo depois de adulta, quando relatava detalhes sobre alguma situação, ela logo mudava de assunto. Ao longo dos anos, eu percebi que ela, apesar de ser uma pessoa aparentemente forte, precisou se esforçar muito para melhorar sua autoestima.

Reflexos de uma criação

O casamento é uma das últimas formas de aprendizado na vida, e é o conceito mais difícil que o Senhor nos transmite enquanto tenta aprimorar o nosso potencial e despertar a nossa grandeza, conforme determinado pela nossa herança celestial. Eu sempre soube que convivência no matrimônio é difícil. Só não sabia o quanto!

Como a maioria dos maridos no mundo eu, às vezes, cheguei a considerar a possibilidade do divórcio, em razão dos problemas de incompatibilidade. Duas pessoas distintas nunca pensam da mesma maneira, aliás, nem deve ser assim! Entretanto, quando eu pensava sobre os danos que uma separação poderia gerar em meus filhos, eu rapidamente desistia.

Numerosos estudos mostram que as crianças carregam as sequelas de um lar desfeito, por toda a vida. E muitos acreditam que o aumento da violência entre os jovens se deve ao número crescente de famílias sem a figura paterna. Meninos criados sem o pai procuram de outra forma a aceitação do sexo masculino. Com isso, muitos buscam lideranças, modelos de conduta e, eventualmente, acabam por se juntar às gangues de jovens.

A desintegração dos padrões morais essenciais causou um enorme crescimento no número de famílias desfeitas. Se eu tivesse a oportunidade de escolher entre o meu passado tendo um pai monstruoso em casa ou um lar sem pai, acredito que eu escolheria a primeira opção. Eu reconheço a natureza controversa deste meu posicionamento, mas é o que sinto. E respeito aqueles que pensam o contrário.

Mesmo que o meu pai pudesse ser classificado como um monstro, ele tinha um comportamento muito masculino, o que indiretamente me levou a moldar minha própria identidade de gênero.

No meu caso, a presença do meu pai (mesmo sendo ocasional), inconscientemente me ensinou a respeitar a autoridade e, por meios tortuosos, eu sei, aprendi como é ser um mau pai, o que me levou a desejar profundamente ser melhor do que ele, ou pelo menos bem diferente.

Essa vivência também me ajudou a compreender a todos que sofrem qualquer tipo de violência doméstica, física ou psicológica, e que sofrem em silêncio toda a opressão. É o que vejo na maioria dos lugares onde vou, no mundo todo. Com esse olhar, eu aprendi a amar e a respeitar ainda mais as mulheres. Eu convivo com elas diariamente, pois na minha profissão, mais de 90% dos meus pacientes são mulheres.

Por outro lado, também aprendi com o comportamento do meu pai que as pessoas podem fazer maldades, mas não são obrigatoriamente más o tempo todo. Meu caso é um exemplo extremo sobre a importância de uma família, mesmo que desajustada, ficar unida, com a finalidade de ter um pai presente.

Por experiência própria, por tudo o que eu vi e vivi, eu sinto a necessidade de dedicar algumas das minhas metas futuras no sentido de ajudar as mulheres vítimas de qualquer tipo de violência ou discriminação. E sei que, atualmente, o Brasil tem a infeliz marca de sétimo país mais violento para as mulheres.

Meus filhos

Ao contrário do meu pai, eu sempre me preocupei em não fazer nada para os meus filhos que não fosse bom e saudável. Talvez o mundo tenha mudado, pois eu nunca gritei com eles, nem fiz um movimento sequer que não tenha sido positivo para suas vidas. Eu os amo tanto que mal posso respirar quando eles não estão por perto. E vivo me perguntando o que mais eu poderia fazer por eles. Eu os acompanho à escola, todas as manhãs, quando estou nos Estados Unidos. Já viajamos pelo mundo e nos divertimos muito. Costumamos conversar bastante e eu tento compreender tudo o que se passa com eles.

Procuro participar de todas as atividades escolares quando não estou viajando a trabalho. Toda noite, eu os ensino sobre o Evangelho, e oramos juntos. Eles são o meu tudo! Eu não consigo entender como o meu pai pôde ser tão estranhamente desconectado de seus filhos. Meus momentos mais felizes aconteceram ao lado dos meus filhos. Talvez Deus, em Sua grande misericórdia, não tenha permitido que ele percebesse, no final de sua vida, tudo o que havia perdido.

Meus pais não comemoravam aniversários, nem mesmo se lembravam disso. Então, eu também nunca me preocupei com a data do meu aniversário. Mas fiz questão de dar grandes festas para os meus filhos, com tudo a que tinham direito, desde máquina de pipoca e pula-pula às decorações temáticas com super-heróis e princesas. Eu me realizo ao ver como eles ficam felizes.

> Ao refletir sobre os pensamentos que eu tinha quando criança, só encontro vergonha, insegurança, medo, raiva e muitos sonhos com lugares distantes. Eu desejava coisas simples, como um sofá. Não me importava tanto em ser pobre, mas queria ser normal. Quando busco na memória uma imagem de onde eu vivia, só me vem a escuridão.

Ao lado: Meu pai, Roberto Miguel Rey, com pouco mais de 20 anos de idade. Engenheiro americano, viveu no Brasil até o fim da vida.

Abaixo: Minha mãe, Avelina Hoffman Reisdorfer, em 1956, no Rio Grande do Sul, antes de se casar.

Ao lado: Eu, com menos de um ano de idade.

Abaixo: Eu, com apenas 2 anos de idade.

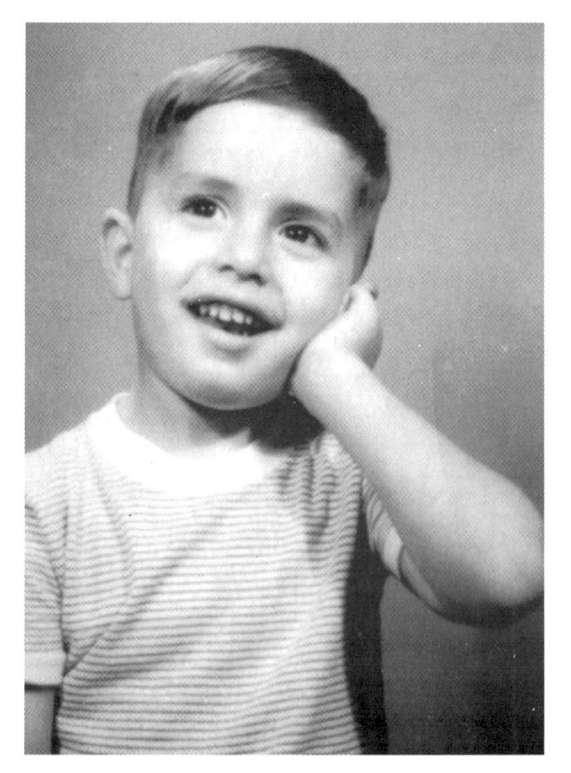

Acima: Minha mãe, Avelina Reisdorfer Rey, aos 39 anos de idade e meu pai, Roberto Miguel Rey, aos 51 anos de idade. Foto tirada no bairro do Butantã, em 1969. *Abaixo:* Construção semelhante à nossa casa em Ilhabela — Foto de uma casa na Ilha, próximo de onde eu passava as férias na infância.

Acima, da esquerda para a direita, em pé: Walkyria (Mana), uma prima, Valdívia (Diva) e minha mãe, Avelina. *Agachados:* uma prima, eu e Jacques.
Abaixo: Ilhabela, 1966. Dona Avelina com seus filhos, em férias na ilha.

Acima: Os quatro irmãos na varanda do apartamento na Rua Faustolo, no bairro da Lapa, em São Paulo-SP. *Abaixo:* Meu pai, quando estava como pouco menos de 70 anos de idade.

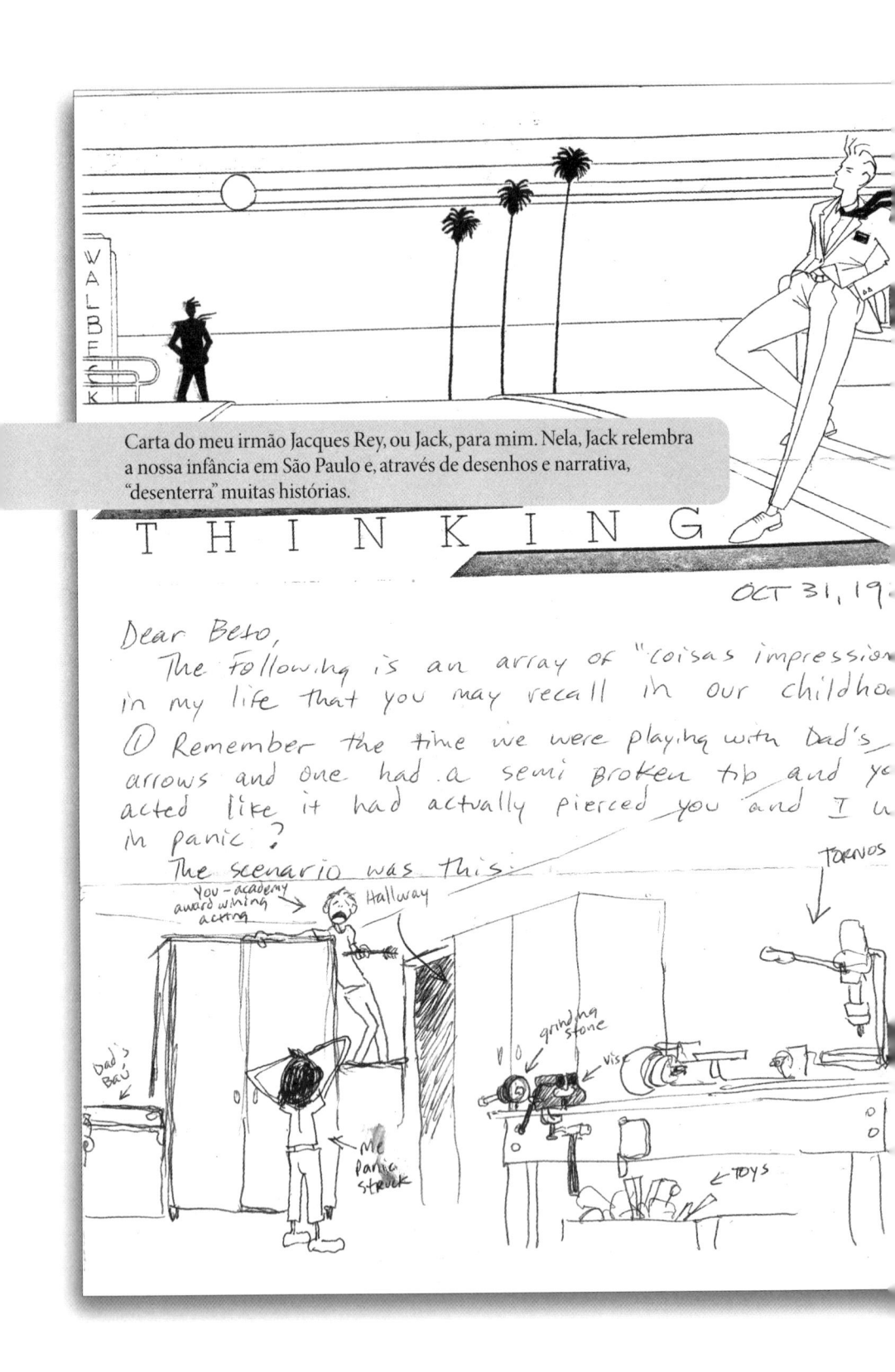

Carta do meu irmão Jacques Rey, ou Jack, para mim. Nela, Jack relembra a nossa infância em São Paulo e, através de desenhos e narrativa, "desenterra" muitas histórias.

THINKING

OCT 31, 19

Dear Beto,
 The following is an array of "coisas impression in my life that you may recall in our childho

① Remember the time we were playing with Dad's arrows and one had a semi broken tip and yo acted like it had actually pierced you and I w in panic?
 The scenario was this:

You - academy award winning acting → Hallway

Dad's Baú

Me Panic struck

grinding stone
vise
TORNOS
TOYS

Remember when we used to read some sort of nursery rhime book that had strange stories where a soldier → goes to save a ballerina →

I hated the fact that he never used his gun

that gets caught in a pile of coals or something by a Devil and they melt together? What a horror! It scared the hell out of me!

And how about that story that showed a stuffed bear trying to get the pearl out of a pond and a fish was trying to get it? I hated the way the bear would not get a firm grip on the pearl. These books really left quite the impression in me.

③ Remember when we used to hear Mom and Dad arguing we'd go to the room and say "viu, viu! viu, viu!" to each other?

viu,viu! viu,viu!

Remember the Puma shirts we had for centurie Remember when you bought me an icecream cone when you left Puma

fish.

Cam eat to

> Na carta, Jacques relembra histórias infantis, brincadeiras e até mesmo as brigas dos nossos pais.

Adeus! Adeus! eu vou morrer!

Sob

me

Remember when we had that one green gangster doll we got from same gas station and he had a cane? Remember when you portrayed a scene of his death so well I began to cry and try to help him but you would not allow me too? Superb special effects entwined in drama unsurpassed!

A adolescência nos Estados Unidos

AOS 12 ANOS DE IDADE, eu fui levado para os Estados Unidos pela minha mãe, junto com minha irmã mais velha, Walkyria, para sermos criados por uma família cristã. Viajamos de carona em um navio de cargas que partiu do porto de Santos e desembarcamos na cidade de Nova Iorque. Como minha mãe tinha medo de avião, tivemos que seguir de ônibus até o distante estado de Utah. A viagem durou dias, entrando e saindo de hotéis sujos, subindo e descendo de ônibus cheirando a fumaça de cigarro.

Nós saímos do Brasil no dia 6 de junho de 1974 e seguimos direto até Nova Iorque, onde desembarcamos na manhã de 20 de junho.

Meu pai já havia viajado naquele navio antes, mas eu nunca soube para onde, nem quando. Na partida, antes de subirmos a bordo, meu pai pediu ao capitão, que era um norueguês, para que eu ficasse em uma cabine perto da ponte do navio e também para que ele me desse uma atenção especial, já que eu gostava muito de navios, assim como ele. Inacreditavelmente, o capitão atendeu ao seu pedido.

Essa lembrança do meu pai preocupado em tornar a minha viagem divertida só me faz reiterar aquele pensamento de que "ninguém é ruim o tempo todo".

Mas a minha "atenção especial" durou poucos dias. Assim que entramos em alto-mar, comecei a me sentir constantemente nauseado, devido ao balanço do navio. Um dia, resolvi ir para a cabine da minha mãe e da minha irmã, que ficava na parte central do navio, para tomar um banho e descansar um pouco, mas acabei adormecendo. Só que, enquanto isso, elas estavam andando pelo navio... à minha procura. Como não me encontraram, ficaram preocupadas e foram falar com o capitão, que prontamente disponibilizou vários homens para uma busca completa pela embarcação. Depois de um bom tempo, presumiram que eu pudesse ter caído no mar. O capitão decidiu então parar o navio, e cogitou voltar um pouco na esperança de me encontrar. Somente então é que me acharam dormindo na cabine da minha mãe! O capitão ficou tão bravo que ordenou que eu passasse a dormir com a minha mãe e a minha irmã.

Durante a viagem, atravessamos várias tempestades em alto-mar. Em uma delas, as ondas eram tão gigantescas que faziam o navio subir e depois cair vertiginosamente. Eram quedas realmente assustadoras! Mas, para mim, tudo aquilo era uma grande aventura!

Eu costumava sair da cabine durante a noite para explorar cada canto do navio. Uma vez, cheguei a descer por uma escada pequena que ficava do lado de fora do casco, usada para o embarque da tripulação. Desci tanto que quase cheguei à linha d'água! Que loucura! Eu não fazia ideia do perigo que estava correndo. Bastava uma onda mais forte bater contra o casco, e eu seria facilmente jogado ao mar.

Em uma manhã, acordei com o som de sinos tocando. Saí da cabine correndo para ver de onde vinha aquele som. Do convés, eu vi várias boias de sinalização flutuando, ligadas por correntes, e cada uma tinha um sino que tocava com o balanço do mar. Eu queria ver mais adiante, mas a neblina estava muito densa. Então, resolvi subir. Quando cheguei ao deque superior, tive uma experiência inesquecível: a neblina começou a se dissipar e eu avistei a Estátua da Liberdade! Naquele momento, percebi que apesar de todas as dificuldades que eu havia enfrentado na vida, de ter nascido em um país de terceiro mundo, comandado por uma ditadura militar e sendo filho de uma faxineira, eu estava chegando à "Terra da Liberdade". Finalmente, eu poderia sonhar em ser alguma coisa na vida!

Pouco tempo depois, aportamos na cidade de Nova Iorque. Ainda passamos aquela noite no navio, mas, no dia seguinte, fomos autorizados a desembarcar.

Em Nova Iorque, ficamos em um hotel por alguns dias. Eu me lembro de ir ao edifício Empire State e ficar impressionado.

Três dias depois da nossa chegada, fomos roubados. Levaram todos os nossos cheques de viagem! Desesperada, minha mãe passou dias tentando resgatar os valores dos cheques em uma agência do Citibank. Ela definitivamente não estava preparada para uma viagem como aquela, sem falar uma palavra de inglês e com duas crianças. E menos ainda para enfrentar um imprevisto como aquele.

Depois desse contratempo, precisávamos seguir para o nosso destino final: a cidade de Orem, em Utah, onde minha mãe nos entregaria para a família Card. Eu só não fazia ideia de que iríamos de ônibus!

Saímos de Nova Iorque e fomos para Montreal, no Canadá. Não sei dizer a razão de termos ido para lá, mas um fato bem curioso é que, muitos anos depois, descobri que minha esposa Hayley estava no ventre de sua mãe, em Montreal, durante essa minha passagem pela cidade, no verão de 1974! Ela nasceu pouco tempo depois, em agosto do mesmo ano.

Seguimos viagem em direção a Utah, sempre de ônibus, parando diversas vezes e dormindo em cidades das quais eu nem me lembro mais! Levamos vários dias até chegar ao nosso destino.

Em uma dessas paradas, estávamos sem dinheiro para pagar um hotel e não tínhamos outra alternativa senão dormir ali mesmo, na estação. Inesperadamente, uma senhora de uns 60 anos de idade, vendo a minha mãe com duas crianças prestes a dormir nos bancos da estação, nos convidou para passar a noite na sua casa. Lá, ela nos ofereceu banho, comida e um lugar para dormir. Foi uma lição de humanidade e amor ao próximo que eu tive naquele dia. E o mais incrível: ela não falava português e nenhum de nós falava inglês. Toda a comunicação foi feita apenas por gestos.

A família Card tinha um padrão de vida americano de classe média-baixa. A mãe trabalhava como secretária e o pai era pintor de *outdoors*.

Era uma família numerosa, composta pelo Sr. Bill Card, a Sra. Margareth Park Card, e os filhos Orson Scott Card, Janet Card, Delpha Card, Russel Card, Arllen Card e Bill Card Jr.

Orson Scott, o missionário que nos convidou para morar com a sua família, mais tarde se destacou na literatura e, atualmente, é considerado um dos maiores escritores americanos de ficção.

Apesar de eu sempre ter dito que fui adotado por uma família americana, não houve uma adoção legal. Na verdade, foi uma adoção informal.

A vida com a nova família, no início, foi um pouco complicada, devido ao problema de comunicação. Começamos a estudar na Lincoln Jr. High School no dia 26 de agosto de 1974, mesmo sabendo apenas algumas palavras em inglês.

Fomos proibidos de falar português, tanto em casa como na escola. O lado bom foi que aprendemos rapidamente o inglês e o lado ruim foi que, aos poucos, fomos esquecendo a nossa língua materna. Foi uma espécie de "imersão forçada" na língua e na cultura americana.

Naquela época, havia um conceito muito difundido nos Estados Unidos de que todos os estrangeiros que fossem morar no país deveriam ser "americanizados" o mais rápido possível, e esse também era o desejo da maioria dos imigrantes. Assim que aprendi bem a língua, eu me tornei um ótimo estudante, e mantive essa dedicação até a escola de medicina, mais tarde.

Um ano depois, meus irmãos mais novos, Jacques e Valdívia, vieram para os Estados Unidos e foram viver com uma família cristã em Chino Valley, uma região de fazendas no estado do Arizona.

Cerca de dois anos após a minha chegada, eu e meus irmãos fomos morar com outra família da nossa comunidade cristã, no estado do Arizona. Mais tarde, minha mãe também se mudou para os Estados Unidos e deixamos essas maravilhosas famílias missionárias, passando a viver juntos novamente. Pouco tempo depois, um a um, os quatro filhos foram para a faculdade. Depois disso, acabamos nos distanciando. Hoje em dia, nos falamos muito raramente.

Em outubro de 1974, mais precisamente no dia 31, eu participei da minha primeira festa de Halloween, ou "Dia das Bruxas", como é chamado no Brasil, e me fantasiei de índio! Na mesma época, ganhei o primeiro animal de estimação que tive nos Estados Unidos: Bruttus, um lindo e simpático hamster!

Ainda no ano de 1974, comecei a jogar futebol americano e basquete nos times da escola. Eu adorava jogar basquete.

Arllen, um dos filhos da família Card, tinha a minha idade e era escoteiro. Por essa razão, ingressei no grupo de escoteiros do qual ele fazia parte, a tropa 431.

Eu fui bem recebido no escotismo e fiz muitos amigos. Mesmo assim, sempre faziam uma ou outra piadinha sobre latinos. De "Beto" (meu apelido em português) virei "Birdie" (passarinho), porque era pequeno e magrinho. Mas havia outros apelidos bem mais depreciativos, já que eu era magrelo, dentuço e tão tímido que chegava a gaguejar.

Fiquei muito animado quando recebi uma condecoração dos escoteiros por serviços prestados, pois havia feito um trabalho voluntário em uma gráfica, onde tive a oportunidade de produzir um caderno que acabou se tornando o primeiro diário da minha vida. Desde que comecei a escrever em diários, nunca mais parei!

No final de 1974, graças à forma calorosa como fui recebido pelos Cards, eu já me sentia em casa. Apesar de alguns problemas de adaptação, eu estava gostando muito de morar nos Estados Unidos. Em novembro, conheci a tradição de se comemorar o Dia de Ação de Graças, ou "Thanksgiving", como é chamado nos Estados Unidos. Foi um dia de oração e tivemos um delicioso almoço em família, com peru assado e grande fartura de comida. E no dia 7 de dezembro, pela primeira vez na vida, eu pude ver e tocar a neve! Foi uma experiência inesquecível. Acordei de manhã cedo e tudo estava coberto de branco. Havia uns 5 centímetros de neve. Era lindo! Eu logo me acostumei àquele inverno rigoroso, bem como à rotina que a neve impõe.

O primeiro Natal que passei nos Estados Unidos foi o melhor da minha vida, até então. Era muita fartura! Não só pela comida, mas pelos muitos presentes que recebi. Ganhei um roupão, malhas, camisas, pijamas, um radinho de pilha, um rádio transmissor, um relógio para colocar no meu quarto e várias canetas, entre outras coisas. Eu nunca tinha recebido tanta coisa! Eu só lamentei por minha mãe e meus irmãos mais novos não estarem lá.

Eu e minha irmã ganhamos um outro presente maravilhoso naquele final de ano. Meu pai foi aos Estados Unidos para nos visitar e, no dia 26 de dezembro, nos levou para um passeio. Foi uma surpresa e tanto! Primeiro fomos para Salt Lake City, a capital de Utah, e no dia 27, pegamos um avião para Phoenix, capital do Arizona. Foi a primeira vez na vida que eu entrei em um avião! Visitamos uma cidade próxima a Phoenix, chamada Mesa e depois fomos para uma cidade bem pequena, na região de Chino Valley, chamada Prescott, onde eu morei por algum tempo, anos mais tarde. Depois, voltamos para Salt Lake City e, de lá, para Orem, no Utah. As paisagens vistas de cima eram deslumbrantes — montanhas nevadas, desertos e, especialmente, o Grand Canyon. Passeamos muito naquela viagem e foi tudo muito bom. Era como se meu pai fosse outra pessoa... nem parecia aquele homem agressivo com quem vivemos no Brasil!

No dia 20 de janeiro de 1975, em pleno inverno no Hemisfério Norte, aconteceu um fato que, de certa forma, me influenciaria por toda a vida. Arllen, "meu irmão adotivo", foi convidado para participar de um programa de televisão regional no canal 11, KBYU TV, que ficava na cidade de Provo, vizinha de Orem. Era uma espécie de programa infantil, chamado "Kids News". Ele apresentou um número de mágica e eu fui seu assistente. Adorei aquilo!

Em fevereiro de 1975, fizemos uma nova viagem com o meu pai. Fomos ao estado do Arizona e, na volta, ele nos deu vários presentes.

Ganhei uma bicicleta e vários livros interessantes, sobre arqueologia, escotismo e zoologia. Pouco tempo depois, recebi minha carteirinha de escoteiro e meu pai me deu um uniforme completo. Nunca na vida ele havia me presenteado com tanta coisa. Sua mudança de comportamento era inexplicável!

Foi nessa época que eu ganhei a minha primeira medalha de escoteiro. De um jeito ou de outro, o escotismo acabou me acompanhando pela vida toda. Recentemente, em 2014, eu fui agraciado com uma condecoração honorária, o prêmio "Eagle Scout" — a mais alta honraria concedida pelo escotismo.

A maior lição que tive no escotismo foi aprender a me virar em qualquer lugar ou situação. Aprendi a dormir ao ar livre, a achar alimentos nas matas e cozinhar, a ter resistência para caminhar por quilômetros e a sobreviver nas mais diversas situações. Graças a essa experiência, hoje eu não tenho problema algum para ir a lugares como a Amazônia ou Rondônia. Não sou um "mauricinho" que se assusta com qualquer coisa. Eu topo qualquer parada, e não só por ter sido escoteiro até os 18 anos de idade (idade máxima no escotismo americano), mas também porque venho de uma classe social baixa.

Em março, terminei o primeiro livro que li em inglês, *The First Four Years*, de Laura Ingalls Wilder. Era uma leitura interessante e ajudou bastante a melhorar o meu inglês. Pouco tempo depois, eu conheci a sensação de um terremoto. Foi um tremor leve, mas suficiente para chacoalhar tudo em casa!

Nas férias de verão (que lá acontecem no meio do ano), fomos viajar com uma outra família da nossa comunidade cristã. Era um casal de 50 e poucos anos que não tinha filhos. Eles tinham um *motor home* — um carro com uma espécie de *trailer* acoplado, uma verdadeira casa sobre rodas! Nessa viagem, percorremos mais de 8.000 km, conhecendo várias cidades, como Los Angeles, São Francisco, Seattle e Carmel, e também estivemos em Vancouver, no Canadá. Saímos do Arizona, passamos pelos estados da Califórnia, Nevada, Washington e depois fomos para o Canadá. Foi incrível! A aventura só terminou no final de agosto, quando tivemos que voltar às aulas!

Em 2 de dezembro de 1975, ingressei em uma companhia de teatro denominada "Great American Legends", para interpretar um soldado em uma peça chamada *Spys*. Esse evento teve uma grande importância na minha vida porque, desde então, eu descobri um grande interesse em atuar. Anos depois, aquela experiência seria de grande valia, pois fui convidado para apresentar um programa de televisão.

No final de 1975, todas as boas experiências do ano anterior se repetiram. Um ótimo feriado de Thanksgiving e um Natal maravilhoso (ganhei o meu primeiro autorama!). Desta vez, passei o Natal com a Diva, minha irmã mais nova.

O ano de 1976 foi marcado por uma comemoração importante: 200 anos de independência do povo norte-americano — o bicentenário da liberdade dos Estados Unidos, que deixaram de ser uma colônia da Inglaterra. Foi um ano inteiro de celebrações; uma lição de patriotismo da qual eu não me esqueço.

No início do ano eu assisti, pela primeira vez, a um jogo de basquete profissional. Fiquei impressionado com a altura dos jogadores!

A partir de março, comecei a tirar notas bem altas em inglês — e me tornei um dos melhores da classe. Com isso, tudo começou a ficar mais fácil, tanto na vida escolar quanto no relacionamento com os colegas.

Apesar da distância, meu pai e eu sempre mantivemos contato por correspondência. Acredito que a distância o fez pensar mais nos filhos, pois nosso relacionamento tornou-se bem mais leve.

Em uma de suas cartas, escrita em 4 de abril de 1976, ele parece tão amável! Essa bipolaridade do meu pai era uma grande tortura para nós, pois, para o mundo, ele parecia uma ótima pessoa. Em suas cartas, especialmente as que ele escreveu nos primeiros anos, ele parecia ser um ótimo pai, simpático e preocupado, entretanto, com o passar do tempo, o conteúdo passou a ficar mais pesado.

Ainda em 1976, ele esteve novamente nos Estados Unidos para resolver alguns assuntos e aproveitou para nos visitar. Meu avô Jack havia falecido, e com isso meu pai herdou uma considerável quantia — cerca de 3 milhões de dólares. Ele parou de trabalhar e passou a viver das aplicações desse dinheiro. O problema é que ele gastava muito, presenteando suas amantes com carros e viagens. No final, ele acabou gastando todo o dinheiro e não destinou quase nada para a nossa família.

Por influência dos Card, comecei a ter uma boa noção da importância do trabalho e de como "fazer dinheiro". Aos 14 anos de idade, fiz uma parceria com um amigo, Bill, e começamos a oferecer os nossos serviços para cortar grama e cuidar de jardins. Produzimos um folheto simples e começamos a distribuir pela vizinhança. O dinheiro que ganhamos serviu para pagar parte dos custos da nossa próxima viagem com o grupo de escoteiros.

Um dia, eu estava cortando a grama da casa de uma senhora, sem parar, totalmente concentrado. Ela ficou me observando, vendo o meu esforço, e me deu um valioso conselho: disse que eu não deveria trabalhar ininterruptamente, pois o serviço acabaria não sendo bem executado. Segundo ela, eu deveria fazer pausas, descansar um pouco e retornar ao trabalho em seguida, para que o serviço rendesse mais e fosse bem feito. E foi ali que eu aprendi como se deve trabalhar. Essa experiência foi de grande valor para toda a minha vida.

Eu tive a oportunidade de conhecer muitos lugares com a família Card, como o zoológico de Salt Lake City e a base aérea de Utah, onde pude ver de perto os aviões de guerra da Força Aérea Americana, como a fortaleza voadora, o famoso bombardeiro B-52. Foi impressionante! O Sr. Bill Card me tratava como um filho. Com ele, definitivamente, eu tive um bom exemplo do que é ser pai.

Entretanto, depois de 2 anos de convívio, ficou muito dispendioso para a família Card, que já era numerosa, sustentar também a mim e à minha irmã. Assim, a nossa comunidade fez alguns arranjos para que fôssemos morar com outra família em melhores condições financeiras, e que, de preferência, pudesse receber a mim e a todos os meus irmãos. Por essa razão, nos mudamos para o Arizona.

Em junho de 1976, durante as férias de verão, fomos morar com os Sherwood, uma família mórmon que vivia em uma fazenda em

Chino Valley, a pouco mais de 2 quilômetros de Prescott, uma pequena cidade com cerca de 30 mil habitantes, onde eu passei a estudar. E essa era a distância que eu caminhava, diariamente, para ir à escola.

Para mim, na época, não foi nada bom descobrir que teríamos que nos mudar, pois, mais uma vez, eu me sentia sendo jogado de um lado para o outro, ou pior, descartado. Psicologicamente, foi muito ruim. Contudo, minha nova família americana se mostrou tão acolhedora quanto a família Card.

A família Sherwood era ainda maior. Eles tinham dez filhos! E para lá fomos todos nós — eu, Jacques, Valdívia e Walkyria. Era muito bom estarmos juntos novamente. A casa era bem grande, mas como tinham muitas crianças, então, dormíamos em beliches. Nós fomos muito bem recebidos por todos da família, logo que chegamos.

A fazenda dos Sherwood era linda, e lá eu tive um contato muito próximo com a natureza. Além de ajudar a alimentar os porcos, cavalos e vacas, também aprendi como eles faziam o plantio e a colheita de diversas culturas.

Nessa mesma época, meu pai decidiu enviar minha mãe para morar no Mississipi. Como motivo para a mudança, ele alegou que ela precisava aprender inglês e cursar uma universidade, já que havia parado de estudar ainda jovem. Mas nós sabíamos que aquela mudança, na verdade, era apenas um jeito de se livrar dela e ficar sozinho no Brasil, totalmente livre para as suas amantes. Isso aconteceu pouco depois do meu pai ter herdado o dinheiro do meu avô.

Algumas semanas depois da nossa chegada à fazenda dos Sherwood, meu pai foi nos buscar para visitarmos a nossa mãe no Mississipi. De lá, nós iríamos para um acampamento de férias no estado de Nova Iorque, para ficar até o final do verão.

Foi uma viagem muito boa. Gostei de conhecer a cidade de Nova Orleans e o famoso Rio Mississipi. Passamos três dias com a nossa mãe e, depois, pegamos um avião para Nova Iorque. Chegando lá, fomos visitar a nossa avó Helen, que morava em Brown Bric, um conjunto residencial modesto, na ilha de Manhattan. O apartamento era simples, mas agradável. Em seguida, meu pai nos deixou na estação central de Nova Iorque, onde pegamos o trem e fomos sozinhos para o acampamento, que ficava na cidade de Old Forge.

No final de agosto, comecei a estudar na minha nova escola, a Prescott High School.

Em Prescott, além do basquete, comecei a jogar tênis e praticar luta livre.

Em pouco tempo, eu e meus irmãos já estávamos totalmente adaptados à vida no Arizona; meu irmão Jacques até passou a ser chamado de Jack! A nossa vida com os Sherwood era muito legal, e meus pais nos visitavam eventualmente.

À medida que o tempo passava, eu me tornava cada vez mais organizado. Costumava planejar tudo com antecedência e avaliar meus resultados. Desde a minha chegada nos Estados Unidos, eu comecei a escrever minha vida em diários, o que me ajudou bastante em reflexões sobre os meus objetivos e os resultados que realmente atingi.

No verão de 1978, aos 16 anos de idade, fui novamente a Nova Iorque com minha mãe e meu irmão para visitarmos a minha avó. De lá, fomos para Washington, capital dos Estados Unidos, para conhecer uma tia chamada Grace, que nos recebeu muito bem. Tive a oportunidade de conhecer os principais pontos turísticos e históricos da cidade, como a Casa Branca e o prédio do Congresso, além de alguns museus.

De Washington, voltamos a Nova Iorque e seguimos para a cidade de Marion, no estado de Massachusetts, onde eu e meu irmão passamos quatro semanas ótimas na imponente escola Tabor Academy, em um curso de verão com diversas atividades, como velejar, praticar tiro ao alvo, arco e flecha e muitos outros esportes.

Depois de terminado o curso, eu embarquei — elegantemente uniformizado — como membro da tripulação de um veleiro chamado "Tabor Boy", para navegar de Connecticut até o Maine. Foram três semanas inesquecíveis, durante as quais eu aprendi muito sobre navegação. Aquele acampamento de verão foi maravilhoso, e foi também o último. Eu logo completaria 17 anos, e, depois disso, nunca mais teria qualquer atividade desse tipo.

Em julho de 1978, minha mãe deixou o Mississipi para morar em Prescott. Com a chegada dela, o Sr. Sherwood sugeriu que deveríamos ficar juntos e nos ofereceu um dos barracões que ficavam na fazenda. Mas o lugar era horrível! Os barracões eram utilizados para alojar trabalhadores mexicanos que prestavam serviços braçais na fazenda, geralmente imigrantes ilegais que chegavam lá pedindo uma oportunidade de trabalho.

Eu fiquei chocado com a oferta do Sr. Sherwood! Mesmo tendo vivido em condições precárias no Brasil, aquele barracão era deprimente! Nenhum de nós quis morar naquele lugar e, então, minha mãe decidiu alugar um pequeno apartamento no centro de Prescott.

E, mais uma vez, lá estávamos nós, empilhados. Uma família de cinco pessoas morando em um apartamento de um quarto. Mas isso foi o melhor que conseguimos com o pouco dinheiro que o meu pai mandava para a minha mãe. Quase todos dormíamos no chão! Para completar, depois de algum tempo, um namorado da Walkyria, chamado Steve, foi morar conosco. Eles acabaram se casando e estão juntos até hoje. O lugar era tão pequeno e tão entulhado que eu tinha vergonha de levar alguém lá.

Assim como na Lapa, a história de pobreza se repetia. Só que agora, éramos pobres nos Estados Unidos! Esse trauma de tantos anos passando privações foi o que me fez ter tanta disposição e garra para conquistar tudo o que conquistei. Eu não poderia aceitar passar toda a minha vida daquela forma.

Eu passei muitos anos sem falar quase nada em português, o que me deixou um tanto "enferrujado". Quando fomos morar com a minha mãe, voltamos a falar português em casa, na maior parte do tempo. No começo foi difícil, mas, aos poucos, mesmo com o forte sotaque que adquiri, consegui falar razoavelmente bem.

Naquele semestre, eu iniciei o 12º ano do ensino médio, ou High School, e passei a treinar tênis com mais frequência, com a ajuda de um professor. Além disso, iniciei um curso em uma escola para modelos e atores, chamada Bobby Ball Talent Agency. A escola ficava na cidade de Fênix, capital do Arizona. Durante quatro meses, eu e minha mãe viajávamos 65 km, três vezes por semana.

Apesar das atividades extracurriculares, como atuar e praticar esportes, eu estava totalmente focado em entrar na Universidade de Harvard, uma ideia que havia sido "plantada" na minha cabeça, há muito tempo, pelo meu pai.

No ano seguinte, 1979, comecei a ficar ainda mais organizado. Planejava tudo no início do ano, colocando metas a serem atingidas, determinando prioridades de tarefas e avaliando os meus resultados. Eu pretendia fazer o máximo para melhorar em todas as áreas da minha vida. Passei a escrever e reler frases que deixavam minhas ideias e objetivos mais claros, como estas, que escrevi no meu diário, em agosto de 1979, quando estava com 17 anos de idade:

"Tudo na vida é um pouco mais fácil do que pensamos."

"Para atingir o sucesso, uma pessoa deve saber um pouco sobre muitos assuntos e muito sobre um assunto específico."

"O nervosismo causado por uma competição é decorrente da falta de prática."

"Disciplina é a chave do sucesso."

Eu já havia feito alguns trabalhos como modelo e, como muitos adolescentes nessa idade, eventualmente, eu me tornava arrogante.

Apesar de ter consciência da importância da minha família e, especialmente, da minha mãe, algumas vezes eu não a tratei como deveria. Inevitavelmente, o arrependimento vinha, como uma lição divina! Comecei a perceber que se eu tratasse mal àqueles a quem eu amava, especialmente a minha mãe, isso poderia arruinar o relacionamento e o sentimento que existia entre nós. Eu não queria isso. Então, passei a me vigiar, para não exagerar nas discussões. Mesmo assim, muitas vezes o ímpeto adolescente atrapalhava minhas tentativas e o instinto briguento vinha à tona! O meu irmão também causava muita confusão em casa, mas eu era considerado a ovelha negra da família. Eu sabia que deveria melhorar o relacionamento com a minha família, e me esforcei para isso.

Ainda naquele ano, passei a me interessar por temas filosóficos, mas com aplicação prática. Entre muitas divagações, eu acreditava que uma pessoa de sucesso deveria ser uma pessoa de classe, mas, por outro lado, eu acreditava que a humildade também deveria ser uma qualidade dos bem-sucedidos. Na época, ficava a dúvida: seria possível uma pessoa manter a humildade e, mesmo assim, ter classe?

Continuei praticando o tênis e, ao mesmo tempo, tentava conseguir um papel no cinema. Participei de duas seleções para filmes, mas não fui aprovado. Para um dos papéis, eu era muito jovem e para o outro, precisavam de alguém de pele mais clara. Outras tentativas também não deram certo e eu, cada vez mais, ficava marcado pelas rejeições. Eu queria fazer qualquer coisa que me permitisse melhorar e, finalmente, conseguir um bom papel.

Eu tive algumas namoradinhas em Orem e também em Prescott. Muitas vezes, eu sentia uma grande rejeição por parte das meninas, simplesmente pelo fato de ser latino. O preconceito era muito forte, apesar de eu ser bem tratado pela maioria. Quando, eventualmente, eu conseguia arranjar uma namorada, a condição econômica da minha família também se tornava um problema.

Em junho de 1979, eu finalmente terminei a High School. Em seguida, eu me mudei para a cidade de Fênix, também no Arizona, onde iniciei minha vida universitária.

> O contraste entre a vida com a família Card e a vida na casa dos meus pais, em São Paulo, era chocante, pois as lembranças do meu pai espancando a minha mãe, que chegava a desmaiar de tanto apanhar, era totalmente diferente da vida tranquila e da bondade de Bill Card. Realmente, eu tive uma vida de contrastes.

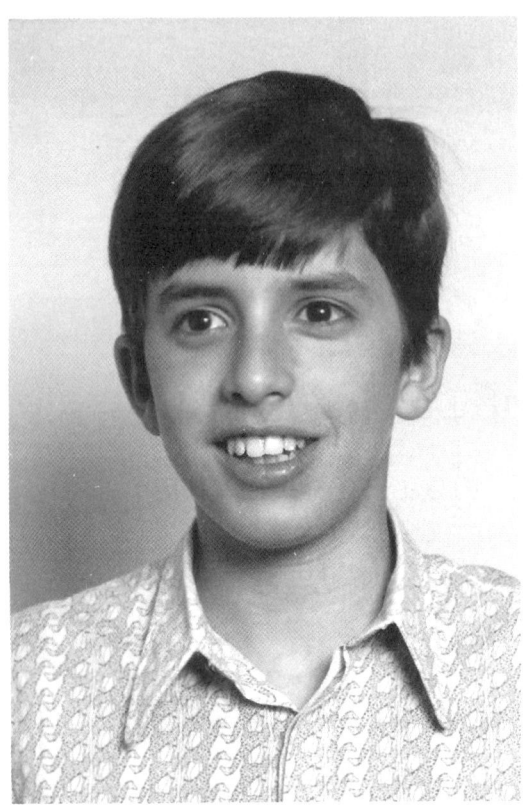

Ao lado: Eu, com 14 anos de idade, quando morava com a Família Card, na cidade de Orem, Utah, nos Estados Unidos

Abaixo: Eu e minha irmã Valdívia, com dois filhos dos Cards, em 1975.

Acima: Eu, aos 15 anos de idade e meu "irmão adotivo", Arllen Card, em uma exposição militar, nos Estados Unidos, em 1976

Ao lado: Aos 16 anos, frequentei um curso para atores e modelos na cidade de Fênix, no Arizona.

Robert Rey

bobby ball talent center
808 east osborn / phoenix, arizona 85014
264-5007 / 1-800-352-0303

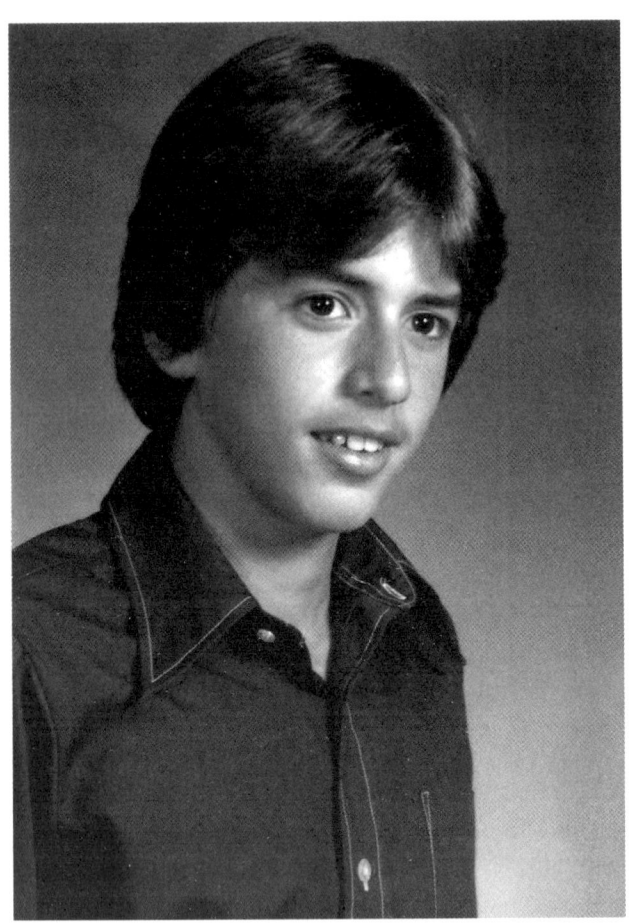

Ao lado: Eu, com 16 anos de idade.

Abaixo: Meu tão sonhado primeiro carro da vida – um Ford Mustang verde.

Aos 18 anos de idade, época em que cursava o Junior College em Fênix, no estado do Arizona.

Página de um de meus diários, na qual, aos 15 anos de idade, revelo que partiu de meu pai a ideia de eu estudar em Harvard.

4 De Julho 1976,

Nós tivemos o 4 de Julho no acampamento com fogos de artifício no meio do abetal perto de um lago no ADIRONDACK WOODCRAFT CAMP.

NO ANO DO BICENTENIAL.

NO ACAMPAMENTO APRENDI TIRO AU ALVO E GANHEI CLASSE DE MARKSMAN FIRST CLASS by the National Rifle ASSOCIATION NRA.

Página de um dos meus diários, na qual escrevo sobre o acampamento de férias e o feriado de 4 de julho de 1976, o dia da independência dos EUA.

Vida acadêmica 3

NOS ESTADOS UNIDOS, EU TIVE a oportunidade de cursar algumas das melhores universidades do mundo, mas nem sempre pude aproveitar todas as chances.

Pouco antes de concluir a High School, eu fui aceito na Universidade de Cornell, uma instituição que faz parte da Ivy League, que inclui as oito melhores universidades do país: Brown, Cornell, Princeton, Columbia, Harvard, Pensilvânia, Yale e Darthmouth. Cornell, que fica no estado de Nova Iorque, chegou a me oferecer uma bolsa de estudos, entretanto, por causa da distância, minha mãe não permitiu que eu fosse. Na época, ela não compreendia a importância de se cursar uma boa universidade — uma posição baseada na mais pura ignorância.

Com isso, ela me forçou a cursar um "Junior College" chamado Scottsdale Community College, em Fênix. Apesar de ser um curso superior, o Junior College é considerado bem mais "fraco" do que uma universidade. Aquilo foi uma grande frustração na minha vida: eu era um aluno com potencial elevado, e fui obrigado a estudar em uma instituição fraca, mesmo tendo sido aceito em uma das melhores universidades do mundo!

Então, sem alternativa, assim que eu terminei o ensino médio, me mudei para a cidade de Fênix, no Arizona, e fui morar no dormitório estudantil do Junior College, levando apenas minhas roupas e minha bicicleta. Minha mãe e meus irmãos continuaram morando em Prescott, permanecendo lá por mais alguns anos, até o momento em que Jacques também entrou na universidade, e todos foram para Fênix.

Cursei dois anos no Scottsdale Community College e, paralelamente, estudei no Mesa Community College, onde jogava tênis de maneira quase profissional, pois tínhamos uma equipe muito forte e competitiva que representava a universidade em torneios estudantis.

Na faculdade, eu tive uma certa vantagem inicial em ciências, e minhas notas eram bem altas. Isso acabou se tornando um grande diferencial para entrar no curso de Medicina, que exige um alto grau de realizações acadêmicas no processo de admissão. No começo, o meu interesse era bem diversificado. Eu cheguei a pensar em cursar Veterinária, para estudar os mamíferos e, mais especificamente, os primatas. No entanto, as ciências veterinárias, em minha opinião, não proporcionariam muitas oportunidades para que eu pudesse dar vazão ao lado mais criativo da minha personalidade. Mais tarde, o meu interesse mudou para a medicina humana e acabei me especializando em cirurgia plástica.

No início, eu tinha três grandes objetivos: me destacar nos estudos, na carreira profissional e na vida religiosa, participando cada vez mais intensamente das atividades da nossa comunidade cristã, seguindo uma vida limpa, dentro dos ensinamentos de Nosso Senhor.

Durante o Junior College, eu consegui uma transferência para a Arizona State University (A.S.U.), também em Fênix. Finalmente eu ingressaria em uma universidade de verdade! A Universidade do Arizona é considerada uma das melhores universidades dos Estados Unidos, e lá eu me formei em Engenharia Química, como o primeiro lugar da minha classe. Durante os quatro anos de curso, eu nunca tirei uma nota inferior a 10, ou seja, tive 100% de aproveitamento!

Esse diploma e o meu interesse em química acabaram sendo muito úteis nos meus futuros negócios, pois eu pude criar cremes e suplementos alimentares e vitamínicos que foram distribuídos em diversos países. Inclusive, o estudo apresentado em minha tese final, ou tese de honra, como é chamada, será usado em uma futura linha de produtos que eu estou planejando lançar no mercado.

Meu irmão Jacques também ingressou na Universidade do Arizona e, na época, minha mãe passou a trabalhar lá como faxineira. Para mim, isso foi péssimo, pois muitas vezes eu a via sendo maltratada e minha vontade era de arrebentar a cara de quem fazia isso. É muito difícil ver a própria mãe sendo tratada como um ser humano de categoria inferior.

Eu me formei em 1983, e depois de concluir os quatro anos do curso de Química, estava apto a ingressar em Medicina.

Nos Estados Unidos, diferentemente do que acontece no Brasil, um estudante não pode iniciar um curso de Medicina aos 17 ou 18 anos de idade. Lá a Medicina é encarada tão seriamente que o aluno aspirante a médico precisa ter um curso superior completo para entrar em uma boa universidade; além disso, é necessário que tenha recebido notas altas durante todo o curso. Ou seja, primeiro é preciso provar responsabilidade e excelência em alguma outra profissão.

É claro que eu gostaria de fazer Medicina em Harvard — estudar lá sempre foi o meu sonho — mas nunca, desde a sua fundação, a instituição aceitou um estudante vindo da Universidade do Arizona, mesmo sendo o primeiro da classe. Para chegar em Harvard, antes eu teria que cursar outra universidade que me qualificasse para ser aceito.

De qualquer modo, graças ao meu ótimo currículo universitário, consegui uma bolsa para estudar na Tufts University, que é considerada uma das dez melhores universidades dos Estados Unidos, e fica na cidade de Medford, ao lado de Boston, no estado de Massachusetts.

Iniciei o curso de Medicina na Tufts University em agosto de 1983. E, antes mesmo de me formar, fui aceito para o mestrado em Ciências Políticas na John Fitzgerald Kennedy School of Government de Harvard, onde estudaram muitos dos mais importantes políticos americanos, como os presidentes Barack Obama, Bill Clinton e o próprio John Kennedy. Porém, para realizar o meu sonho, eu precisava do dinheiro para pagar o curso. Na época, o custo integral era de 250 mil dólares, uma quantia da qual, obviamente, eu não dispunha.

Por sorte, os americanos costumam oferecer bolsas de estudo a pessoas de determinadas minorias, desde que obtenham o desempenho escolar necessário para acompanhar o curso. Por eu ser brasileiro e ter me destacado no curso de Medicina da Universidade de Tufts, graças a Deus eu consegui uma bolsa parcial, mediante a promessa de que eu usaria o meu conhecimento para melhorar as condições de vida dos latinos nos Estados Unidos e no Brasil.

Assim, comecei o mestrado em 1986, enquanto ainda frequentava as aulas de Medicina da Tufts University. E isso só foi possível porque as duas universidades ficavam em Boston.

Hoje, ao olhar para trás, nem sei dizer como aquilo deu certo, pois para fazer esses dois cursos tão difíceis, ao mesmo tempo, foi preciso encarar muitas horas de estudo, diariamente. E estudar em Harvard exigiu muito mais do que a Medicina na Tufts. Eu só decidi encarar aquele desafio porque pensei no futuro. Sabia que depois do curso de Medicina eu teria que fazer residência, que é uma loucura de tanto trabalho, e, depois de começar a residência, eu não teria condições de ir para Harvard por muitos anos — provavelmente, nunca realizaria o meu sonho. Além disso, quando terminasse a residência eu teria muitas dívidas, pois é nessa fase que os alunos começam a pagar pelos cursos feitos. Eu teria que honrar os custos da faculdade, mesmo tendo recebido uma bolsa parcial. E mais, também estaria na idade de me preocupar em casar e constituir uma família, o que tornaria inviável um curso em Harvard. Por isso tudo, eu disse a mim mesmo que teria que ser naquele momento ou nunca! Foi dificílimo, mas valeu a pena todo aquele esforço!

Conseguir obter bons resultados nos estudos, em Harvard e na Tufts era uma necessidade e uma grande certeza na minha mente. O grande problema era saber como! Muita matéria para estudar, em duas faculdades, simultaneamente. Além disso, eu era jovem e tinha vontade de sair, paquerar, conversar com os amigos etc. Só que se eu fizesse isso, certamente não conseguiria me formar e, muito menos, me destacar em ambas as universidades.

Por essa razão, decidi estabelecer e cumprir rigorosamente um plano de ação. Mas qual seria? O que poderia dar resultado positivo?

Comecei analisando a minha rotina diária e comparando com os resultados que estava obtendo. Logo no início da minha auto-avaliação, percebi que perdia muito tempo conversando e que esse tempo acabava sendo "roubado" dos estudos e outras atividades acadêmicas mais produtivas. Por essa razão, cortei as conversas de maneira diplomática, mas definitivamente, o que funcionou muito bem!

Percebi que melhorar o aproveitamento do tempo seria fundamental, um fator decisivo para o meu sucesso. Passei a acordar às 5h30, lia a Bíblia e escrevia no meu diário. À noite, tentava estudar até tarde, mas tendo acordado cedo, tinha problemas para me concentrar depois das 22h. Para minimizar o problema, passei a me preocupar em não ficar sentado em posições muito confortáveis, o que me levava a "pescar" ou tirar rápidas sonecas.

Aos poucos, acabei formatando algumas ações que, tenho certeza, foram decisivas para o meu sucesso acadêmico e, depois, para o meu sucesso profissional e empresarial. Durante boa parte da minha vida acadêmica, eu me policiei para obedecer as seguintes diretrizes:

1. Não ter medo de falhar;
2. Ser pontual;
3. Aproveitar bem cada minuto;
4. Dormir menos;
5. Trabalhar duro;
6. Planejar, antecipadamente, todos os dias;
7. Cortar decididamente todas as atividades infrutíferas;
8. Não pensar em relacionamento que pudessem me levar a casar, antes dos 30 anos de idade. Pesquisei sobre a vida de muitas

pessoas que atingiram o sucesso e percebi que a grande maioria não havia casado cedo, antes dos 40 anos de idade;

9. Ser extremamente disciplinado, para poder seguir à risca, todas as determinações que pudessem me ajudar a crescer na universidade e na minha vida;

Eu estava estudando em duas das melhores universidades dos Estados Unidos e do mundo. Aquilo não era por acaso, pois eu havia me esforçado muito para chegar até lá, entretanto, ainda faltava muito para que eu atingisse sucesso na vida. Na época, eu pensava muito em uma frase que ouvi, certa vez, em um programa de rádio. Se não me engano, era um provérbio escocês, que diz:

"Há três tipos de pessoas no mundo:
Aquelas que fazem as coisas acontecer;
As que assistem o que está acontecendo e
As que ficam tentando entender o que aconteceu."

Eu estava em um momento na vida em que desejava, com todas as forças, ser uma pessoa de sucesso. Eu sempre desejei ser uma pessoa que fizesse as coisas acontecer e lutei muito por isso, desde pequeno, para colher os frutos, muitos anos depois. A etapa do percurso que vivi nas Universidades de Harvard e Tufts, foi decisiva para que eu continuasse no caminho correto.

Apesar de todas as dificuldades durante esse período, acabei descobrindo mais uma de minhas características que me ajudaram a continuar lutando, durante toda a vida: eu consigo trabalhar muito bem sob grande estresse.

Nos momentos mais críticos, durante o período em que estudava em Harvard e na Tufts University, precisei reavaliar meu desempenho e as ações que deveria tomar para reverter os problemas. Em várias ocasiões, estabelecia diretrizes emergenciais, como as seguintes:

1. Diminuir as noites de sono para, no máximo, 4 horas;
2. Manter as atividades físicas, limitando a 1 hora por dia;

3. Atividades sociais: almoços, OK – nenhum compromisso à noite;
4. Cortar todas as atividades supérfluas;
5. Não deixar de ir à igreja, mas cortar temporariamente a escola dominical;
6. Parar de desperdiçar tempo.

Apesar de ser muito disciplinado e totalmente focado nos estudos, eu aprendi com os alunos mais antigos de Harvard que nos sábados à noite, todos saiam. Eu sabia, também, que era muito importante a interação social no campus e, por essa razão, decidi que seria o único momento da semana, quando eu saia, no mínimo, para ir ao cinema.

Harvard é uma das universidades mais elitistas dos Estados Unidos; um lugar extremamente refinado, onde os hábitos dos estudantes se misturam às tradições da própria instituição. Lá eu tive a chance de conviver com pessoas do mais alto nível intelectual e social, pertencentes às famílias mais ricas, nobres e tradicionais da América. Aquele era um outro mundo! Eu praticava musculação com o filho do senador Bob Kennedy, que foi advogado-geral do governo dos Estados Unidos durante o mandato do seu irmão, presidente John F. Kennedy; e namorei uma garota cuja família é proprietária de uma das maiores fábricas de pneus que existe, a Dunlop.

Em termos de esportes, uma das tradições mais fortes da Universidade de Harvard é o remo. Mesmo sem ter grande interesse nesse tipo de competição, como eu sempre gostei de esportes, acabei treinando remo por algum tempo.

Apesar da grande diferença social, eu era relativamente bem aceito em Harvard. Entretanto, ficava visível a postura discriminatória de muitos, principalmente pelo fato de eu ser latino. Certa vez, namorei uma garota que acreditava que eu fosse americano, mas nunca chegou a me perguntar sobre isso. Como estávamos no início do relacionamento, eu ainda não havia tido a oportunidade de contar sobre a minha vida e a minha família. Um dia, ela abriu a minha carteira e descobriu que Robert Rey era, na verdade, Roberto Miguel Rey, brasileiro. Ela ficou furiosa e foi embora. Eu até tentei procurá-la para reverter a situação: comprei algumas rosas e bati na porta do quarto dela, no dormitório da universidade. Quando ela abriu, pegou as flores e jogou no chão... e bateu a porta na minha cara! Bom, nem preciso dizer que depois disso não nos falamos mais!

Os estudantes de Harvard sempre tiveram uma enorme vantagem a seu favor: já nasceram com uma estrutura pronta. Eu, ao contrário, era o filho de uma faxineira, nascido em uma família desestruturada, tão inseguro que gaguejava a maior parte do tempo, um dos piores alunos da classe quando criança e, mesmo assim, estava ali, estudando de igual para igual com aquelas pessoas. Até hoje penso que isso é quase inacreditável. Espero sinceramente que a minha trajetória inspire muitas pessoas a perseguirem os seus sonhos e que mostre a diferença que faz uma excelente educação na vida de qualquer pessoa. Eu nunca teria chegado onde cheguei sem ter estudado em ótimas universidades.

Devido à uma grande capacidade de adaptação, acabei me tornando um aluno típico, na aparência e no comportamento. Essa facilidade de adaptação, aliás, é uma característica que sempre me ajudou a sobreviver e a vencer na vida. Acredito que seja um dos fatores mais importantes para obtermos sucesso.

O meu dormitório em Harvard era ótimo, e minha janela ficava bem de frente para o rio Charles. Era realmente uma vista privilegiada! Eu passava muito tempo ali, pois precisava estudar várias horas por dia — as cobranças e o volume de informações que recebíamos eram enormes.

Um aspecto bastante negativo que vivenciei durante os meus anos em Harvard foi o meu afastamento da igreja. Apesar de toda a minha convicção cristã, eu era constantemente "bombardeado" por pensamentos ateus, pois muitos dos professores e boa parte dos alunos viviam e pensavam de forma completamente mundana. Aos poucos, eu comecei a deixar de fazer minhas orações e a me preocupar menos em seguir os ensinamentos das escrituras.

Durante esse tempo, eu fiquei tão distante de Deus que passei a fazer coisas das quais eu me arrependo profundamente, e não gosto nem de me lembrar. As conquistas me seduziam de tal modo que me tornei cego pela luxúria. Eu me envolvi com muitas mulheres e havia noites em que uma só não bastava. Apesar de ter sido temporário, esse desvio foi muito ruim em minha vida. Somente por volta do ano 2000 posso dizer que retornei completamente à igreja. Desde então, nunca mais me afastei.

Como parte do mestrado em Harvard, eu trabalhei em Washington escrevendo palestras para o Dr. Koop — U.S. Surgeon General (Cirurgião-geral dos Estados Unidos). O trabalho, de remuneração baixíssima, era um tipo de estágio que se mostrou uma excelente experiência de vida política. O cirurgião-geral é um importante assessor da Casa Branca para assuntos de saúde. É como se ele fosse uma espécie de ministro da saúde, como temos no Brasil.

O tempo normal do mestrado em Ciências Políticas é de cerca de pouco mais de dois anos, no máximo. Com o trabalho em Washington, eu demorei quase três anos para finalizar o meu mestrado, mas, de qualquer forma, ele me proporcionou uma grande experiência na área de governo.

Durante esse período, eu fiquei na casa do deputado John Anderson, que havia sido candidato à presidência dos Estados Unidos. A Harvard costumava ajudar os estudantes bolsistas durante o estágio em Washington, hospedando-os em casas de políticos, ex-alunos de Harvard, como o caso de John Anderson. Desse modo, eu pude acompanhar o seu trabalho de perto, e conhecer muito bem o funcionamento do Congresso americano. Para mim, foi uma honra e um grande aprendizado poder conviver com um político tão importante como John Anderson.

Ainda em 1987, durante minha passagem por Washington, eu conheci outro membro do Congresso americano, o deputado Tony Coelho — um filho de portugueses que obteve sucesso na política americana e me influenciou de maneira bastante positiva. Eu cheguei a prestar alguns serviços dentro do Congresso e também para o seu gabinete e, com ele, vi que era possível vencer na política, mesmo tendo todas as chances contrárias.

Em junho de 1990, com muito esforço, eu me formei simultaneamente em Medicina na Tufts University e no mestrado em Ciências Políticas de Harvard. Infelizmente, meus pais não puderam comparecer à minha formatura; apenas as minhas irmãs e minha namorada, na época, a Dra. Mraz, foram me prestigiar.

Depois de me formar no curso de Medicina, eu comecei a desenvolver pesquisas científicas na área. Muitos dos meus estudos, depois de devidamente aprovados, foram publicados pelas mais renomadas revistas científicas dos Estados Unidos, como *The Journal of Hand Surgery*, da American Society for Surgery of the Hand, na revista *Vanderbilt University* e na *American Association of Clinical Anatomists*.

Eu fiquei interno na Clínica Mayo, no estado de Minnesota, depois fui para a Universidade da Califórnia (UCLA), para a residência em cirurgia geral e cirurgia de trauma. Após o término da primeira residência, passei um tempo em algumas clínicas da Universidade do Tennessee. Em 1997, voltei para Harvard para me formar em cirurgia plástica estética e fiz a minha segunda residência.

A década de 1990 foi a mais importante na minha vida acadêmica: conquistei o mestrado em Ciências Políticas, o doutorado em Medicina e ainda vivenciei uma grande experiência na política de Washington. Essa experiência nunca teria sido possível se eu tivesse esperado para fazer o mestrado em Harvard, pois, ao todo, foram mais de oito anos na Medicina, entre o curso e as residências. Quando terminei a minha última residência, eu estava com 36 anos de idade — certamente não teria tanto ânimo para voltar a estudar.

De tanto ser criticado e inferiorizado na infância e na adolescência, mesmo depois de formado eu ainda tive muitos problemas com a autoestima. Somente a persistência e a consistência dos meus objetivos me fizeram continuar caminhando. Entretanto, minha autoconfiança ficava seriamente abalada quando eu era confrontado por professores na faculdade ou por outros médicos durante o período da minha primeira residência. Muitas vezes, ao ser questionado, eu ficava mudo e não sabia o que responder. Quando um professor perguntava alguma coisa, eu ficava tão nervoso que esquecia o que havia estudado na noite anterior. Hoje, bem longe daquele comportamento, eu não tenho mais nenhum problema em confrontar e argumentar, seja com quem for. Graças a Deus e a todos os resultados positivos que Ele me concedeu, a minha autoestima e confiança não poderiam ser maiores.

Eu concluí a residência em cirurgia geral em 1995 e, em 1997, finalizei a residência em cirurgia plástica, na Universidade do Tennessee. Depois, voltei para a Universidade de Harvard para uma especialização em cirurgia estética e reconstrutiva. Essa especialização, válida também como residência, terminou em 1998, após um ano de estudos e prática.

No dia seguinte à minha segunda formatura em Harvard, coloquei tudo o que tinha dentro do carro, e me preparei para partir. Quando me perguntaram para onde eu ia, respondi que estava à caminho da Califórnia, que iria me mudar para Hollywood. Um dos meus professores comentou, ironicamente, que Los Angeles era o lugar em que existia mais cirurgiões plásticos por metro quadrado, no mundo! "Um em cada dois cirurgiões vai estar a menos de 3 km do seu consultório", disse ele. Então, eu apontei para o carro e disse que tudo o que eu tinha na vida estava ali, portanto, não havia muito a perder. Entrei no carro, virei para o oeste e segui para a Califórnia.

Eu tinha certeza de que conseguiria vencer, mesmo em um ambiente tão competitivo. Eu já tinha o meu planejamento feito e sabia que o segredo seria fazer um bom uso da mídia, para que eu pudesse me destacar e obter sucesso como cirurgião plástico.

> Os estudantes de Harvard sempre tiveram uma enorme vantagem a seu favor: já nasceram com uma estrutura pronta. Eu, ao contrário, era o filho de uma faxineira, nascido em uma família desestruturada, tão inseguro que gaguejava a maior parte do tempo, um dos piores alunos da classe quando criança e, mesmo assim, estava ali, estudando de igual para igual com aquelas pessoas. Até hoje penso que isso é quase inacreditável.

Acima: Vista do meu domitório na Universidade de Harvard, quando frequentava o mestrado na John F. Kennedy School of Government, em 1989. *Abaixo:* Com o Dr. Koop – US Surgery General (Cirurgião Geral dos Estados Unidos), cargo semelhante ao Ministro da Saúde, com quem trabalhei.

Minha Formatura na Universidade de Harvard, em 7/06/1990, ao lado da Dra. Mraz.

HARVARD UNIVERSITY

AT CAMBRIDGE IN THE COMMONWEALTH OF MASSACHUSETTS

THE PRESIDENT AND FELLOWS OF HARVARD COLLEGE, acting on the recommendation of the Faculty of Government, John Fitzgerald Kennedy School of Government, and with the consent of the Honorable and Reverend the Board of Overseers, have conferred on

ROBERTO MIGUEL REY, JR.
the degree of Master in Public Policy.

In witness whereof, *by authority duly committed to us, we have hereunder placed our names and the University seal on this seventh day of June in the Year of Our Lord nineteen hundred and ninety and of Harvard College the three hundred and fifty-fourth.*

PRESIDENT

DEAN OF THE FACULTY

Diploma da Harvard School of Government, onde também se formaram os presidentes americanos John Kennedy, Bill Clinton e Barak Obama, entre outros.

Ao lado: Com o deputado americano Tony Coelho, em 1987, em frente ao prédio do Congresso dos Estados Unidos.

Abaixo: Diploma de Cirurgia Plástica e Reconstrutiva da Universidade de Harvard, curso concluído em junho de 1998.

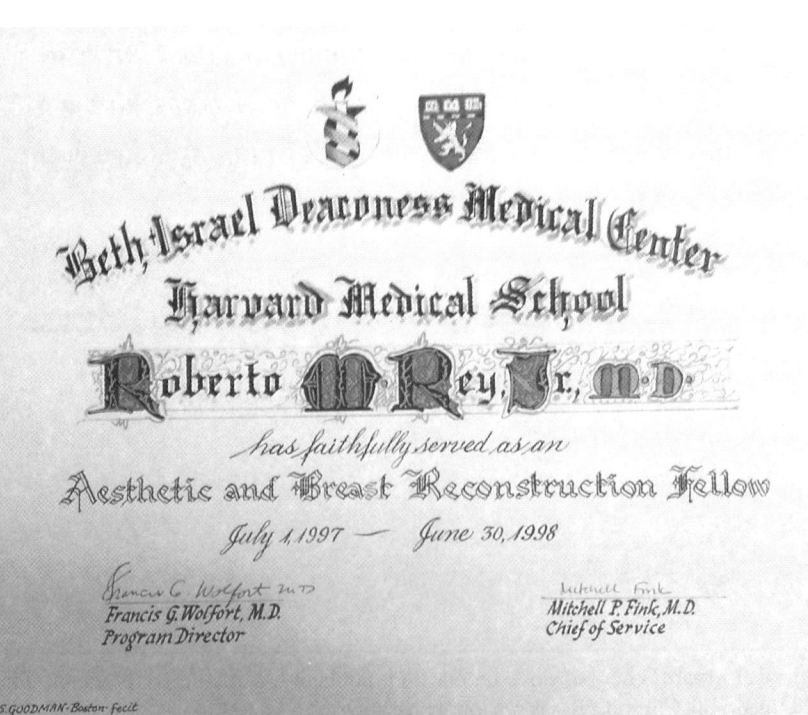

Ao lado: Com o deputado John Anderson, que foi candidato à presidência dos Estados Unidos.

Abaixo: Praticando remo no Rio Charles, um dos esportes mais tradicionais na Universidade de Harvard.

Página de um diário com o convite para minha formatura em Ciências Políticas, em Harvard.

May 15,

I'm graduating from, first, the Harvard University KSG school of Government and, then, Tufts University school of Medicine.
Correction: Graduating from Medical school on 5/20/90 + school of Government on 6/7/90.

Harvard University

The John F. Kennedy School of Government
is pleased to announce

the graduation of the Class of 1990

Thursday, the seventh of June
Nineteen hundred and ninety
Cambridge, Massachusetts

Nesta página de um dos meus diários descrevo a felicidade de chegar a Los Angeles e começar a perseguir meu sonho de sucesso na medicina e na TV.

July 8th

A dream come TRUE! I arrived in L.A. on July 8th, 1998. Now I can finally pursue my dream in Plastic Surgery + show biz. My offices in Beverly Hill. My apartment is also in Beverly Hills.

Acima, da esquerda para a direita: Walkyria, Jacques, Roberto e Valdívia. Os quatro irmãos e um dos carros velhos do nosso pai.

Ao lado: Aos 15 anos, quando morava com a família Card no estado do Utah – Estados Unidos.

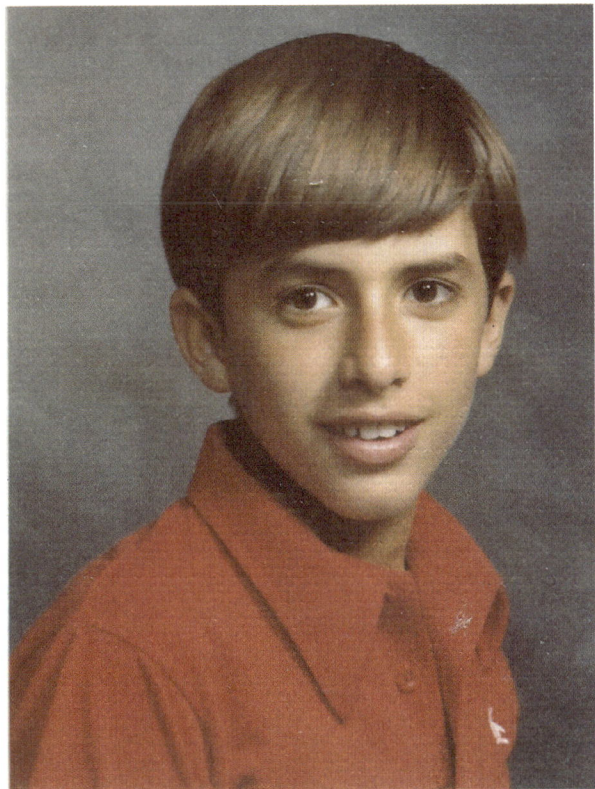

Acima: Formatura na Universidade de Harvard, em 7/06/1990, ao lado da Dra. Mraz.
Abaixo: No hospital da Universidade da Califórnia – UCLA, em 1994, durante o período de residência em cirurgia geral.

Acima: Pedido de casamento na frente da estátua do Cristo Redentor, no alto do morro do Corcovado. Rio de Janeiro, junho de 2000.

Ao lado: Hayley e eu, na cerimônia do nosso casamento na Memorial Church, em Harvard – 16/07/2000.

Ao lado: Eu, Hayley e nossa filha Sydney no dia do nosso casamento no templo da minha igreja, em San Diego – Califórnia – 19/06/2003.

Abaixo: Em 23/06/2004 nasceu Robert Michael Rey III, o mais novo filho da família Rey. Foto tirada logo após o nascimento.

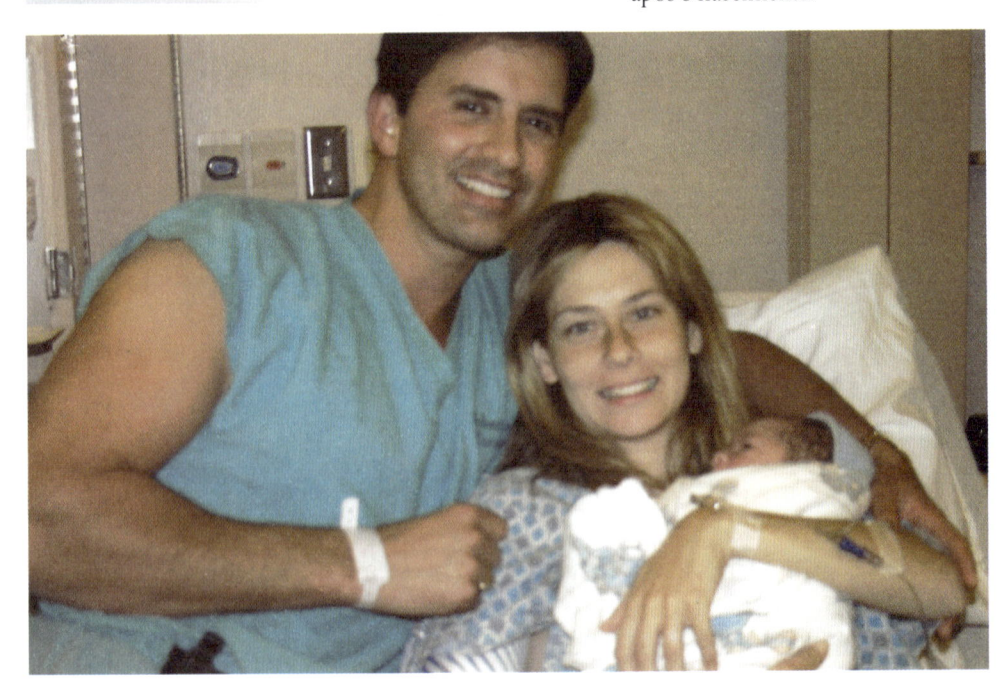

Acima: Nossa casa em Beverly Hills, Califórnia, nos Estados Unidos.

Ao lado: Cuidando do jardim orgânico em nossa casa, uma de minhas paixões.

Ao lado: Em Los Angeles, 2011, participando de um campeonato de Taekwondo junto com meus filhos.

Abaixo: Uma de minhas fotos preferidas. Nessa imagem minha família parece estar quase tocando o Céu, e mais próxima de Deus.

Ao lado: Com a família em Paris, nas férias de verão de 2010.

Abaixo: Com Hayley, Sydney, Robby, Bill Card, Margareth Card e sua filha, Janet Card. A família Card me acolheu ainda jovem, quando cheguei aos Estados Unidos. Março de 2008.

Acima: Durante uma das difíceis lutas que fiz no exame para conquistar a faixa preta 2º dan de Taekwondo. Dezembro de 2011. *Abaixo:* Com a agenda lotada o ano inteiro, algumas gravações acabam ocorrendo durate viagens de avião.

Acima: Quando fui entrevistado por Jay Leno, em um dos maiores programas de entrevistas da TV americana, *The Tonight Show* – 24/01/2008. *Abaixo:* Com a atriz Elizabeth Hurley e Dr. Mia, responsável pelas vendas dos meus produtos na África do Sul e em todo o continente africano.

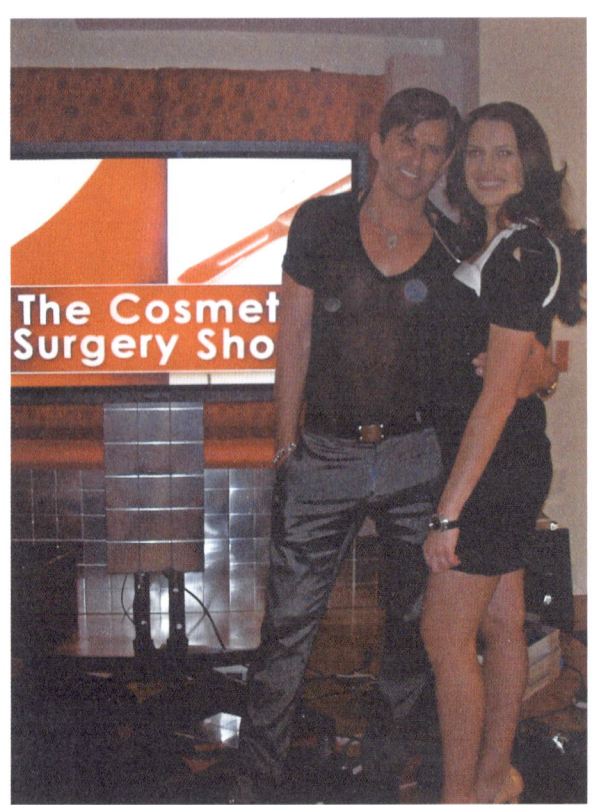

Ao lado: Em meu programa *The Cosmetic Surgery Show,* exibido na Irlanda – 2010.

Abaixo: Gravando programa em canal de vendas para emissora de TV alemã, em 2011.

Acima: Em entrevista para a TV da África do Sul. *Abaixo:* No *Good Morning Africa*, um dos programas de maior audiência na África do Sul e em todo o continente africano.

Acima: Com a apresentadora da TV alemã, Anna Marie, em 2012. *Abaixo:* Na bancada do jornal *NBC 6 pm News*, como comentarista médico, com participação semanal.

Acima: Participando do Programa Silvio Santos, no SBT.
Abaixo: No Programa *Show Business*, com o empresário e apresentador João Dória Jr.

Acima: Participação no programa *Superpop*, com Luciana Gimenez, na RedeTV! – 2012.
Abaixo: Com a apresentadora Márcia Goldsmith – uma grande parceria na TV Bandeirantes.

Acima: Com o empresário e apresentador Roberto Justus. *Abaixo:* Fazendo a cobertura do Miss Universo 2011 — primeira vez que o concurso foi realizado no Brasil.

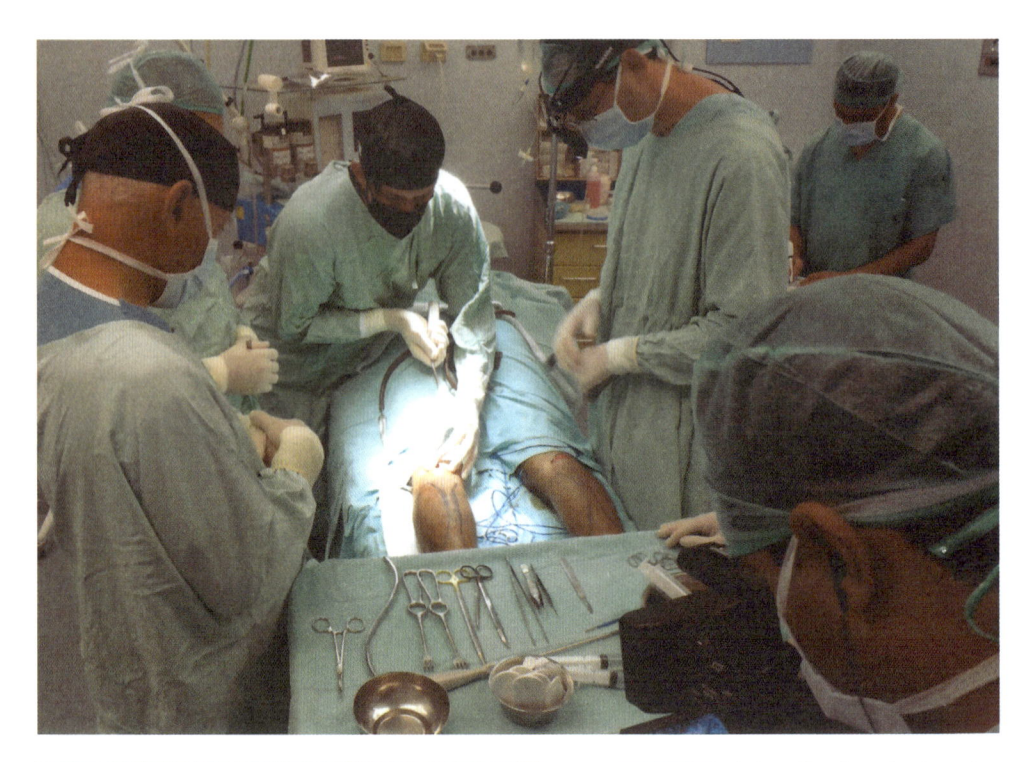

Acima: Realizando cirurgias em soldados israelenses, mutilados em confrontos no Oriente Médio. Haifa, Israel – 2012.

Ao lado: De volta ao meu antigo colégio, na Lapa, em São Paulo — Escola Estadual Pereira Barreto.

4 Vida pessoal e familiar

A chegada em Beverly Hills

Quando cheguei em Los Angeles, fui morar em um apartamento antigo, muito simples, na área mais pobre da cidade de Beverly Hills, chamada de Beverly Hills Slums. Os donos do pequeno prédio que ficava em uma rua chamada Crescent Drive eram imigrantes russos que viviam da renda dos aluguéis. Os inquilinos, na maioria, eram estudantes universitários. Aquele apartamento minúsculo foi o meu lar por muito tempo e, para mim, representa o início de uma jornada de sucesso, partindo do zero.

Em Beverly Hills, minha vida mudou de uma maneira inacreditável. Se há algo que eu posso afirmar, com certeza, é que desde a minha chegada na cidade eu cometi muitos erros, mas, quando acertei... foi para valer!

Bem antes da minha mudança para a Califórnia, por volta de 1996, eu comecei a ficar cada vez mais preocupado com a ideia de que eu estava ficando mais velho — cerca de 35 anos de idade — e não via perspectivas de conseguir encontra uma boa mulher com quem eu pudesse me casar. Eu sempre fui um homem romântico, e desejava profundamente encontrar a "mulher dos meus sonhos", mas o excesso de trabalho fazia com que eu não tivesse tempo para sair e conhecer garotas. Minha vida ainda se resumia a muito estudo e intermináveis plantões. Com isso, minhas opções ficavam muito restritas e se tornava difícil encontrar a pessoa certa.

Na época da residência, quando eu conseguia, ia à igreja, local onde eu acreditava poder encontrar garotas com as características que eu desejava, entre elas, a devoção à Deus. Nada parecia funcionar. Às vezes, eu era tomado pela ansiedade e me perguntava se não estava sendo muito exigente nas minhas escolhas. Enquanto isso, namoros rápidos e decepções iam se acumulando.

Quando cheguei à Califórnia para me estabelecer por lá, pensei que a hora mais apropriada para conhecer alguém e me casar era exatamente aquela. Mesmo assim, durante algum tempo, estive mais preocupado em organizar a minha vida e, com isso, também não conseguia o tempo necessário para sair à procura. Entretanto, muitas vezes, as respostas literalmente batem à nossa porta.

Hayley

Um dia, depois de chegar exausto do trabalho, ainda de jaleco, eu me joguei na cama para descansar um pouco. De repente, ouvi alguém batendo na minha porta. Era o proprietário do apartamento, um russo chamado Uri, dizendo que precisava fazer uma cópia dos documentos de uma nova inquilina, que acabava de chegar do Canadá. Respondi que não tinha uma copiadora, somente um aparelho de fax, mas que não era ideal para fazer cópias. Mesmo assim, ele insistiu e me deu alguns papéis e um passaporte para copiar. Ao olhar a foto no passaporte, vi que a garota era linda! Só por isso, disse ao Uri que tentaria conseguir a cópia, mas que fazia questão de devolver o documento pessoalmente.

Apesar de um tanto torta, a cópia acabou sendo feita. Então, fui ao escritório do Uri, que ficava no próprio prédio, para paquerar a dona do passaporte. Quando abri a porta da sala, eu me deparei com uma linda canadense, seu irmão e sua mãe. Pensando rápido, entrei na sala, cumprimentei o irmão da maneira mais simpática possível, e, da mesma forma, dei as boas-vindas à mãe, dizendo que me colocava à disposição deles caso precisassem de alguém para lhes mostrar a cidade. Por último, fingindo ignorá-la até então, cumprimentei a Hayley, o que me pareceu uma ótima estratégia de conquista.

Para minha sorte, ela se mudou para o apartamento ao lado do meu. Nos tornamos vizinhos de parede!

Como muitas outras garotas, Hayley estava em Los Angeles para tentar a vida como atriz. Ela havia feito aulas de interpretação, e foi a vencedora do "Miss Montreal 17", um concurso de beleza para meninas de 17 anos de idade. Além de bonita, Hayley havia recebido uma boa educação, vinha de uma família muito bem de vida. O pai era dono de uma seguradora de automóveis e a mãe trabalhava como corretora de imóveis.

Assim que a mãe e o irmão voltaram para o Canadá, eu passei a procurá-la, insistentemente. Ela não queria saber de mim, mas eu não admitia receber um "não" daquela garota maravilhosa! Não perdia uma chance de paquerá-la quando a encontrava na rua, no prédio, no elevador, sempre insistindo para que saísse comigo. Até que um dia, a minha insistência deu resultado. Ela disse que, para que eu parasse de perturbá-la, sairia comigo apenas uma vez, mas não me deixaria chegar perto, nem mesmo para pegar na sua mão. Sairíamos somente para passear e conversar.

Hayley dizia que não estava interessada em ter nenhum relacionamento romântico naquele momento, estava focada em conseguir uma carreira no cinema, ou então, queria dedicar seu tempo para cuidar de animais. Seu discurso era desanimador para qualquer pretendente, mas não para mim. Eu sempre gostei das coisas impossíveis! Desafios sempre me motivaram!

Tudo na minha vida sempre pareceu impossível de acontecer: morar nos Estados Unidos, estudar em Harvard, ter um programa de sucesso na televisão americana e ser reconhecido mundialmente.

E tudo isso aconteceu, graças a Deus, da mesma forma que eu consegui "dobrar" a Hayley. Com tanta resistência da parte dela em relação a mim, eu só conseguia pensar que o nosso relacionamento tinha futuro. Por incrível que possa parecer, eu já cogitava até mesmo me casar com ela!

Como era de se esperar, em nosso primeiro encontro ela foi muito difícil. A noite acabou sendo meio tensa, o máximo que eu consegui foi beijá-la, e, ainda assim, com muita dificuldade. Depois, consegui convencê-la a sair comigo mais algumas vezes e, finalmente, começamos a namorar.

No início do ano 2000, pouco tempo depois de começarmos a namorar, Hayley me convidou para uma viagem ao México, pois sabia que eu andava muito cansado e precisava de uns dias de folga. Ao voltarmos, seguimos para Nova Orleans e, na noite em que chegamos lá, ela engravidou.

Nessa época, eu já havia voltado a frequentar a igreja, e por essa razão, ao saber da gravidez, escrevi uma carta para um apóstolo amigo, perguntando o que deveria fazer. Não sabia se casar seria a melhor opção, pois eu já convivia com a Hayley havia alguns meses, e começava a desconfiar que o nosso relacionamento não teria muitas chances de sucesso. Mesmo assim, a resposta que obtive do apóstolo foi a que eu já imaginava: eu deveria me casar para cumprir com fidelidade as Leis de Deus.

Quando decidi que deveríamos nos casar, eu a trouxe para conhecer o Brasil, o meu país. Fomos a São Paulo, cidade onde nasci, visitamos Ilhabela, onde passei parte da infância e, finalmente, o Rio de Janeiro, a cidade maravilhosa, nosso cartão postal.

Eu tinha tudo planejado para pedi-la em casamento diante da estátua do Cristo Redentor! E segui à risca!

Antes de sairmos, eu peguei duas folhas de papel e escrevi, em inglês, "Você se casa comigo?" e coloquei na parte de dentro da minha jaqueta. Chegando lá, no alto do Corcovado, pedi a uma pessoa que tirasse uma foto nossa, na frente do Cristo. Enquanto olhávamos para a câmera, eu abri a jaqueta, mostrando as folhas com o pedido de casamento, para que saíssem na fotografia. E, mais tarde, ao olhar a foto, ela viu o pedido de casamento por escrito!

Eu gosto de fazer tudo direito e é claro que não queria decepcioná-la nesse ponto. Nos Estados Unidos, é uma tradição que os homens façam o pedido de casamento de maneira criativa ou em circunstâncias formais, como em um lindo jantar à luz de velas, em um restaurante chique.

Voltamos para os Estados Unidos e realizamos o nosso casamento no dia 16 de julho de 2000, quando a Hayley estava no quarto mês de gravidez. Casamos na igreja da Universidade de Harvard, a Memorial Church. É uma tradição para os alunos e ex-alunos daquela universidade casar naquele local. De acordo com a minha fé, o casamento em Harvard, apesar de já representar e garantir a nossa união, precisaria ser "validado", com uma cerimônia na minha igreja, no templo de San Diego, na Califórnia, o que ocorreu algum tempo depois.

No final daquele ano, no dia 14 de dezembro de 2000, às 10h24, no Cedars Sinai Medical Center, nasceu a nossa linda filha Sydney, e com a sua chegada, a nossa vida mudou de uma maneira que eu nem sequer poderia sonhar. Um filho pode mudar toda a vida de um casal mas, principalmente, traz uma grande alegria para os pais. Eu amei a minha filhinha desde o primeiro instante de vida!

Eu queria muito me casar na minha igreja, mas tivemos que resolver alguns problemas antes. A Hayley era de uma família protestante e seus pais eram muito religiosos, entretanto, ela relutava em que realizássemos o casamento na minha igreja, pois teria que ser convertida primeiro. Pois bem, ela foi batizada na cerimônia de conversão que a tornou apta a se casar comigo, no nosso templo.

Então, quase três anos mais tarde, depois de convencer a Hayley da importância de nos casarmos no templo, tivemos uma cerimônia religiosa celebrada no dia 19 de julho de 2003, em San Diego, na Califórnia.

Ainda em 2003, recebemos uma ótima notícia: Hayley estava grávida novamente! Ficamos muito felizes e, apesar de saber que apenas Deus pode decidir, esperávamos que fosse outra menina. Os exames de ultrassom eram sempre inconclusivos, mas a médica obstetra que a acompanhava acreditava que realmente teríamos outra garota. Entretanto, em fevereiro de 2004, tivemos a confirmação do sexo: um menino!

Para ser bem sincero, por alguns momentos ficamos um pouco assustados com a notícia, pois já tínhamos assimilado a ideia de termos duas meninas. Na verdade, como eu não tive um bom modelo de pai, fiquei apavorado por me achar incapaz de criar um menino. Mas, passado o susto, a nossa felicidade veio à tona! Então, no dia 23 de junho de 2004, depois de um parto difícil, nasceu o nosso filho Robert Michael Rey III, a quem chamamos carinhosamente de "Robby".

Com duas crianças pequenas, sendo uma recém-nascida, Hayley precisou da ajuda da mãe. Brenda, a mãe da Hayley, sempre esteve muito presente. Ela e o meu sogro, Aram, apesar de morarem no Canadá, nos visitam sempre que possível. E nós também sempre nos preocupamos em levar nossos filhos para verem os avós.

No início de 2006, finalmente nos mudamos para uma casa da qual eu realmente gosto. Nossa mansão em Beverly Hills tem aproximadamente seis mil metros quadrados e anteriormente pertenceu à bela atriz Rachel Welsh, que se tornou um símbolo sexual na década de 1960, ficando mundialmente conhecida.

Em 2007, passei a figurar no "mapa das estrelas de Hollywood" — um guia vendido na cidade para que turistas possam passear pelas ruas de Beverly Hills, localizando as casas das maiores celebridades do cinema e da TV.

Muitos podem dizer que morar em uma casa como aquela, dirigir carros caríssimos e ter o padrão de consumo que eu e a minha família temos, é pura ostentação. Respeito quem pensa assim, mas encaro esse assunto por outro ponto de vista. Em primeiro lugar, por mais que a maioria das pessoas não goste, ou não assuma, vivemos em um mundo de aparências e muitos negócios são baseados no quanto um profissional parece ser competente e bem-sucedido. Existe um provérbio que diz: "não basta ser honesto, é preciso parecer honesto", pois bem, adaptando essa frase, eu diria que, no mundo dos negócios, "não basta ser bem-sucedido, é preciso parecer bem-sucedido".

Além disso, depois de ter passado anos de privações e conquistado resultados profissionais tão expressivos, tenho uma forte necessidade psicológica de me sentir muito longe daquela vida que eu tive com a minha família, em São Paulo. Quando eu era pequeno, sonhava em viver numa casa com quintal, mas morava em um apartamento pequeno, sujo e lotado. Comprar a casa em Beverly Hills foi um marco na minha vida, pois me deu a certeza de que eu nunca mais voltarei ao padrão miserável vivido na minha infância. Não desejo isso para ninguém, nem para mim, nem para a minha família, pela qual sempre farei todos os esforços necessários.

Com o tempo, eu e minha esposa inevitavelmente nos distanciamos. As diferenças de temperamento e opinião foram se tornando cada vez mais fortes, e hoje, somos um casal separado vivendo na mesma casa, com o único objetivo de manter uma família "estruturada" para criar os nossos filhos, até que eles comecem sua jornada na universidade e no mundo adulto.

Hayley sempre foi muito ambiciosa e, com o nosso casamento, conseguiu conquistar os objetivos que mais desejava, ficando milionária. Infelizmente, o nosso relacionamento como marido e mulher não deu certo, mas temos uma boa convivência. Nós saímos sempre com os nossos filhos e fazemos de tudo para que tenham o melhor ambiente familiar possível, ajudando a construir o que, certamente, serão algumas das melhores memórias das suas vidas. Como bons pais, tudo que eu e a Hayley fazemos têm como objetivo o bem-estar e a felicidade dos nossos filhos.

É uma pena que o nosso casamento não tenha dado certo. Poderia ter funcionado, era o que eu queria, mas não dependia só de mim. Desde o início, não foi nada fácil. Namoramos muito pouco tempo e a Hayley logo engravidou. Eu tentei de tudo para fazer a coisa certa, mas não deu. Contudo, mesmo sem ter uma relação mais próxima de marido e mulher, nós vivemos juntos para que isso não afete em nada a vida da Sydney e do Robby.

Meu irmão Jacques

Jacques mudou-se para Los Angeles um pouco antes de mim e foi trabalhar em Hollywood, na área cenográfica, desenhando *sets* de filmagem. Ele me ajudou muito no meu começo de vida em Los Angeles, abrindo algumas portas na indústria do cinema e da televisão. Mas, mesmo antes disso, eu sempre pude contar com ele.

Enquanto eu cursava Medicina, Jacques me ajudou a pagar o curso trabalhando por algum tempo no correio, e para isso, deixou o seu sonho de carreira de lado, apenas para me ajudar. Eu tinha uma ótima bolsa de estudos, mas não cobria todos os custos da Universidade. Sem a ajuda do meu irmão, não sei como teria conseguido.

Depois que ele voltou do seu trabalho como missionário cristão, em uma viagem que durou dois anos, ele parecia ter se transformado em um santo. Não que ele não fosse uma ótima pessoa antes, mas parece que o trabalho como missionário fez com que o melhor dele se desenvolvesse ainda mais.

Apesar de ser um bom garoto, na época da escola ele se metia em várias brigas e confusões. Entretanto, quando retornou do trabalho missionário, era uma nova pessoa e passou a se dedicar com empenho à minha carreira. Ele não namorava e nunca se casou. Trabalhou e pagou a universidade, onde estudou para se tornar designer de produtos. Ele escolheu essa profissão com a intenção de trabalhar no design de cenários para cinema e TV. Conseguiu o que queria e muito mais, pois chegou a ser diretor em videoclipes e outras produções.

Trabalhar em Los Angeles, tanto para um cirurgião plástico quanto para alguém da indústria do cinema, é muito difícil. Não há concorrência tão grande no mundo como nessas duas áreas em Los Angeles — a cidade dos estúdios de cinema e das cirurgias plásticas. Jacques teve que lutar muito para conseguir se estabelecer na sua profissão, mas sua perseverança e capacidade fizeram com que ele se destacasse entre a fortíssima concorrência.

Assim que eu me mudei para Beverly Hills e abri o meu primeiro consultório, Jacques, como sempre me ajudando e incentivando, criou o primeiro logo do meu consultório e o meu primeiro cartão de visitas, nessa nova fase da vida. O trabalho ficou ótimo!

As artes marciais

Desde pequeno, eu sempre tive um grande interesse por artes marciais. Até os 15 anos de idade, eu sempre fui o "bobão" que vivia apanhando dos outros garotos na escola. Era assim no Brasil e continuou sendo nos Estados Unidos, onde só mudou a nacionalidade daqueles que me importunavam! Somente na época da High School, o ensino médio, essa história começou a mudar. Na escola, eu ingressei na equipe de luta greco-romana, também chamada de luta olímpica, e comecei a aprender a lutar. Em pouco tempo, minha autoconfiança melhorou muito e daí em diante, não apenas deixei de apanhar como passei a revidar àqueles que me provocavam! Minha vida mudou completamente. De um garoto tímido e introspectivo, passei a ser confiante, comecei a fazer mais amigos, me tornei popular e até as garotas começaram a se interessar por mim! Esse foi só o meu começo nas artes marciais, mas mudou a minha vida. Somente alguns anos mais tarde, quando fui morar em Los Angeles, é que eu passei a treinar com afinco aquela que se tornaria a arte marcial à qual me dedicaria mais: o Taekwondo.

Eu já havia treinado Taekwondo em Boston, mas quando cheguei em Los Angeles fui direto procurar uma boa academia e soube da grande reputação do mestre Jung Chong, com quem comecei a treinar em 1998. Com ele também pratiquei o Hapkido, um outro tipo de arte marcial coreana. Sempre treinei com grande determinação. Participei de vários campeonatos e nunca fugi de uma luta, por pior que fosse.

As artes marciais sempre me ajudaram a reduzir o nível de estresse, de agitação e me deixam mais confiante. Eu já havia treinado também uma outra arte marcial coreana, o Hwa Rang Do, mas a dinâmica das aulas de Taekwondo e a plasticidade dos movimentos acabaram por me conquistar!

VIDA PESSOAL E FAMILIAR

Em 2005, eu já estava no auge da minha carreira como médico e como homem de mídia. Na época, tinha 43 anos de idade e, mesmo assim, treinava musculação e Taekwondo todos os dias, com exceção dos domingos. Em dezembro de 2005, deixei que o meu exame de faixa preta fizesse parte de um dos episódios do meu programa, *Dr. Hollywood*. O teste foi dificílimo e durou quase quatro horas! E não tive apoio de ninguém nessa empreitada.

A Hayley era contra eu treinar Taekwondo e não queria que eu fizesse o exame para a faixa preta. Apesar dela gostar e até mesmo ter frequentado a academia comigo, alguns anos antes, ela tinha receio que eu lutasse e machucasse as mãos. Eu não a culpei, pois, sendo um cirurgião, eu preciso das minhas mãos "inteiras" para exercer a minha profissão. De qualquer forma, eu não desisti, pois queria me testar, mais do que qualquer coisa. Mesmo depois de cinco anos praticando Taekwondo, estava nervoso naquele dia e realmente tinha dúvidas se iria conseguir.

Tive que quebrar tijolos, me defender de oponentes armados com facas, além de lutar contra três oponentes ao mesmo tempo. O meu exame foi exaustivo! Também tive que escrever duas redações, uma sobre a história do Taekwondo e outra sobre o que a faixa preta representava para mim. No final do exame, as minhas mãos estavam inteiras, exceto por um pequeno sangramento. Ter obtido sucesso naquele exame de faixa foi uma grande lição e elevou ainda mais a minha autoestima.

Em dezembro de 2011, depois de 6 anos na faixa preta, finalmente eu tive a chance de fazer um novo exame, para tentar conseguir a faixa preta 2º Dan. Eu já queria ter feito esse exame antes, mas com tantos compromissos e viagens pelo mundo era muito difícil encontrar tempo para treinar adequadamente para um exame no qual eu seria exigido ao extremo. Mas tudo correu bem! Lutei, quebrei madeiras e pilhas de tijolos e fiquei totalmente exausto! No final, o resultado foi muito bom e eu consegui vencer mais essa etapa na minha jornada dentro do Taekwondo.

Graças ao aprendizado das artes marciais e ao meu treinamento diário, posso ter um pouco mais de segurança nesse mundo imprevisível e perigoso. A autoconfiança e as técnicas que aprendi me permitiram, entre outras situações, agir com determinação em um incidente ocorrido dentro de um avião, quando eu voava da cidade de Austin, no estado do Texas, para Los Angeles. De repente, eu ouvi um grito e o som de alguém correndo pelo corredor da aeronave. Quando olhei na direção do barulho, vi uma comissária de bordo tentando impedir a passagem de um homem, que a arremessou para o lado e passou. Naquele momento, tive a certeza de que deveria fazer alguma coisa, pois ele estava indo em direção à cabine de comando. Falei rapidamente com o passageiro sentado à minha frente, dizendo que precisávamos tentar parar aquele indivíduo. Ele concordou, mas ainda estava preso ao cinto de segurança e, com isso, eu saí na frente e me deparei com o agressor que logo reagiu tentando me chutar, me dar um soco e até me morder! No final, eu o imobilizei com uma "chave de pescoço" e o coloquei para dormir! Quando chegamos ao aeroporto, a segurança e o FBI já estavam à espera para prender aquele maluco!

Além do Taekwondo, comecei a treinar Jiu-Jitsu com a família Grace, em Los Angeles. Mais tarde, meus filhos Sydney e Robby também começaram a treinar artes marciais comigo. A Sydney treinou Taekwondo e o Robby, Taekwondo e Jiu-Jitsu. Os dois começaram o Taekwondo juntos, em agosto de 2008. A Sydney logo perdeu o interesse, parou de treinar, mas recomeçou meses depois. Eu realmente fico feliz em ter meus filhos treinando comigo, pois esta atividade ajuda na disciplina, na autoconfiança e, o melhor de tudo, proporciona um tempo extra para ficarmos juntos!

Meu pai

Por volta de 1993, eu perdi o contato com o meu pai. Ele se afastou de mim e dos meus irmãos, rompendo relações conosco por carta. Escreveu dizendo que éramos péssimos filhos e que, mesmo assim, ele havia cumprido com sua obrigação, nos sustentando por muitos anos. Depois de falar horrores para mim e para os meus irmãos, disse que, para ele, nós havíamos morrido. Bom, diante de tudo o que passei com ele e pelo que conhecia do meu pai, essa atitude não foi exatamente uma surpresa, entretanto, eu fiquei muito chateado, pois gostaria sinceramente que tudo tivesse sido diferente, especialmente a forma como ele nos criou na infância e como tratou a minha mãe.

Alguns anos depois, ele voltou a escrever para nós, dizendo que estava em dificuldades e que precisava de ajuda. Isso foi por volta do ano 2000 e nenhum dos meus irmãos achou que deveria ajudá-lo. Apesar de concordar com o ponto de vista deles e ainda estar longe de atingir a minha tão sonhada prosperidade profissional e financeira, comecei a enviar, mensalmente, uma ajuda ao meu pai. Por esse motivo, mantive contato com ele, por carta, durante alguns anos. Em 2004, entretanto, ele sumiu, sem deixar vestígios! Como ele não respondia às minhas cartas, eu tentei telefonar, mas não consegui localizá-lo. Todos da família pensaram que ele tivesse morrido, pois, àquela altura, ele já estava com mais de 80 anos de idade.

Um ano mais tarde, em 2005, quando o meu programa "Dr. Hollywood" passou a ser transmitido no Brasil e eu comecei a participar de vários programas na TV brasileira, o meu pai ligou para mim, contando sobre as suas dificuldades e pedindo ajuda financeira. Ele sempre foi muito duro comigo, mas, como eu levei em consideração a sua idade avançada, além de voltar a enviar dinheiro mensalmente, comecei a escrever para ele com frequência, e até mesmo enviei fotos da família. Desse modo, ele poderia ver como eram os netos. Na época, eu até pensei que talvez ele não merecesse esse tipo de consideração mas, como eu mencionei, levei em conta a sua idade e o tom de uma carta que ele enviou para mim em julho de 2005, em que ele me perguntou a respeito dos netos e disse que errou como pai, mas que não poderia voltar no tempo para corrigir os erros. Pediu perdão e agradeceu muito pelas cartas que eu estava enviando.

No final de 2005, estive em São Paulo para visitá-lo em sua casa. Eu fui acompanhado da minha equipe de filmagem, e gravamos essa nossa conversa para o Dr. Hollywood. Ele já estava bem velhinho, com 85 anos, e morava com uma mulher com quem estava casado havia muitos anos. Quando perguntei há quanto tempo se conheciam, meu pai me deu uma data que mostrava que eles já estavam juntos quando ele e a minha mãe ainda eram casados!

O programa que mostrou esse reencontro com o meu pai teve uma repercussão enorme, e foi um dos episódios de maior audiência em toda a história do *Dr. Hollywood*. Segundo uma pesquisa do canal E!, era o favorito do público. Nesse dia, ele me disse: "Roberto, eu sei que não fui um bom pai. A cada geração, nós melhoramos. Eu fui um pai melhor do que o meu, você é um pai melhor do que eu fui e o seu filho será um pai melhor do que você é". Essa fala me tocou. Eu não esperava ouvir isso dele, no final da sua vida. Hoje eu entendo que, se ele era uma pessoa ruim, foi porque o pai dele era ainda pior. O que ele sofreu com o seu pai, de certa forma, foi o que ele nos fez sofrer. De qualquer modo, aquela visita foi pacificadora, e serviu para que eu e ele pudéssemos passar a limpo o nosso relacionamento de pai e filho.

Continuei a ajudá-lo financeiramente, já que ele estava totalmente falido e mal tinha como sobreviver. Comprei carro, televisão e tudo que foi necessário. Não deixei faltar nada. Poucos anos depois, ele se foi.

Em 2007, ele escreveu uma carta em que demonstrava, claramente, o quanto sua saúde estava debilitada. Dizia que estava totalmente dependente, que precisava da mulher para quase tudo, até para as coisas mais básicas como andar, tomar banho ou ir ao banheiro. Ele manifestou novamente o seu arrependimento pelas coisas que fez e agradeceu por tudo o que eu estava fazendo por ele. Finalmente eu o perdoei, o que acabou por me fazer uma pessoa mais feliz.

Bom, no meu coração, acredito que eu tenha feito o melhor e, com isso, dado um pouco mais de conforto a ele no final da vida. Sua última carta foi enviada no dia 17 de julho de 2009, quando acabara de completar 91 anos de idade. Com muita dificuldade, ele escreveu duas frases e a carta foi finalizada pela sua mulher. Ele dizia que estava bem e que sentia saudades de mim...

Meu pai faleceu em 22 de setembro de 2009, repetindo para todos no hospital que "O meu filho é médico de Harvard". Eu só fiquei sabendo sobre a sua morte alguns meses depois, quando a sua esposa me escreveu. Durante esse período, continuei escrevendo para ele, sabendo que não receberia resposta, pois ele não conseguia mais escrever. Minhas cartas eram uma forma de alegrá-lo, pois eu sabia o quanto ele gostava de recebê-las. Mas não imaginava que ele já tinha partido.

Estive em São Paulo em dezembro de 2009, dois meses após a morte do meu pai, mas, até então, sua esposa não havia me comunicado sobre o falecimento. Eu cheguei a ligar para a casa dele, mas ninguém atendeu. Achei estranho. Só recebi uma carta meses depois. A correspondência estava datada de 9 de junho de 2010, nove meses após a morte. Anexada à carta, havia uma foto do meu pai no caixão.

Eu não sei porque ela não me avisou sobre o fato de que ele estava muito doente e, depois, sobre o falecimento. Posso tê-la julgado injustamente, mas na época eu fiquei muito triste com a notícia, e pensei que a inacreditável demora para me informar só poderia ter sido por causa do envio de dinheiro que eu fazia para ele, através dela. Eu sinceramente espero que meu pensamento esteja errado. Se realmente tiver sido essa a razão, só posso lamentar e sentir pena dessa senhora.

Somente um ano depois da sua morte eu pude visitar o local do seu descanso com a minha família. Ele foi enterrado no cemitério de Franco da Rocha, em São Paulo, em uma sepultura sem nome — uma visão muito triste. Quando finalmente as três gerações da família Rey se encontraram, era tarde demais. Acredito que ele tenha pago um preço muito alto por seus pecados. Podia ter sido muito diferente... uma pena.

Nunca fui o "queridinho" da família, mas fiz de tudo para agradar os meus pais e deixá-los orgulhosos. Tenho certeza de que pelo menos isso eu consegui. O filho que eles mais desprezavam foi o que acabou dando mais orgulho para eles.

Paternidade

Somente com a família Card eu tive, pela primeira vez na vida, um lar estruturado. Através do seu exemplo, Bill Card me mostrou o que era ser um bom pai e um bom homem. Ele nunca levantava a voz com sua esposa ou com seus filhos. Mesmo sem saber, foi o Sr. Card quem me ensinou a ser um homem honrado, pois eu nunca gritei com meus filhos e muito menos levantei a mão uma vez sequer contra eles. O contraste entre a vida com a família Card e a vida na casa dos meus pais, em São Paulo, era chocante, pois as lembranças do meu pai espancando a minha mãe, que chegava a desmaiar de tanto apanhar, era totalmente diferente da vida tranquila e da bondade de Bill Card. Realmente eu tive uma vida de contrastes.

Por muitos anos, muito da minha vida pessoal ficou registrado nos episódios do *Dr. Hollywood*. Uma passagem muito tocante para mim aconteceu no dia 28 de março de 2008, quando levei minha esposa e meus filhos à cidade de Salt Lake City para visitar os Card — a primeira família que me acolheu nos Estados Unidos, quando eu tinha apenas 12 anos de idade. Encontramos Bill, Margareth e uma das filhas, Janet, que ainda continuava solteira e morando com os pais.

Para mim, foi um reencontro emocionante, depois daqueles anos todos! Eles continuavam as mesmas pessoas amáveis e com a bondade estampada em seus rostos. Fiquei muito feliz que os meus filhos tenham tido a oportunidade de conhecê-los.

Durante os anos de gravação do *Dr. Hollywood*, eu trabalhei como nunca na vida. Sempre fui muito grato por ter tanto trabalho e poder garantir o futuro dos meus filhos, mas, por outro lado, eles estavam crescendo tão rápido e eu não conseguia passar tanto tempo com eles como eu gostaria. Muitas vezes a tristeza batia, mas a certeza de que estava fazendo o que era certo me consolava.

Eu sempre fiz o possível para ser um pai completamente diferente do meu. Até hoje, procuro participar da vida dos meus filhos e me envolver em tudo o que diz respeito a eles. Quando penso nas fraldas que troquei, fico feliz em ser diferente e cuidar da Sydney e do Robby da melhor maneira.

Criar filhos não é uma tarefa fácil. Apesar disso, eu tento encontrar uma maneira eficiente para educá-los e agir como um bom pai. Sempre encorajei meus filhos a participar da igreja e amar tudo o que se relaciona a Deus, eu os incentivo à prática regular de exercícios em geral, das artes marciais, o interesse pela música, pelas ciências, além de mostrar a importância da família e do casamento abençoado na igreja. Eu me preocupo em transmitir a eles os ensinamentos cristãos e o amor incondicional a Deus. Nunca fui agressivo, mas me esforço para ensinar e manter a sua disciplina. Eu "falo manso" com eles, mas sou extremamente firme quando necessário.

Às vezes, os meus filhos me surpreendem. Em 2012, meu filho Robby olhou para mim e disse: "papai, você parece um macaco!". Como eu nunca gostei das minhas orelhas, tomei aquele comentário como a "gota d'água" e resolvi me submeter a uma cirurgia para deixá-las esteticamente mais bonitas. Eu já pensava nisso havia muitos anos e fiquei muito satisfeito por finalmente tomar essa decisão. O procedimento foi realizado pelo Dr. Burt Brent, um dos mais brilhantes cirurgiões plásticos que conheço, e o resultado ficou perfeito. Ponto para o Robby!

Outro fator crucial na educação dos filhos é a escolha correta da escola. As melhores escolas particulares de Los Angeles criam um ambiente bem competitivo entre as crianças. A ideia é que as crianças, desde cedo, tenham "garra" e lutem para se destacar na vida. Eu compartilho dessa opinião, mas a Hayley acredita que o excesso de competição pode ser desestimulante, pois uma criança menos impulsiva pode se retrair diante da pressão e não apresentar um bom desenvolvimento educacional. A escolha foi difícil, mas acredito que tenhamos optado pela escola mais adequada.

Com a vida extremamente ocupada que eu levo, acabo passando muito menos tempo com meus filhos do que deveria e gostaria. Também nesse aspecto, a Hayley tem sido extremamente eficiente, pois ela me ajuda na administração dos negócios, participa de todos os eventos na escola quando eu não estou e cuida da educação das crianças na maior parte do tempo. E tudo sem a ajuda de uma babá! Mesmo não concordando com todas as suas ideias sobre como educar filhos, não posso negar que ela tem sido uma ótima mãe.

Sempre que possível, eu tento levar a minha família comigo para os lugares onde eu tenho compromissos profissionais. Com isso, eu posso aproveitar uma viagem a trabalho para passar um tempo a mais com meus filhos. Essa estratégia tem sido muito útil para que eu não fique tão afastado da minha família, mesmo trabalhando e viajando tanto.

Uma das poucas coisas que eu não consegui fazer pelos meus filhos foi proporcionar a eles um lar onde há amor entre o pai e a mãe. Eu e Hayley não conseguimos nos amar como gostaríamos. Por outro lado, ela sempre foi muito fria comigo e isso fez com que eu fosse desistindo de lutar pelo nosso casamento e pelo amor. Meus filhos quase nunca viram os pais se beijando ou demonstrando carinho um pelo outro. Isso, com certeza, é algo muito negativo, e ainda mais agora, pois eles já percebem que vivem em um lar sem amor entre os pais.

Apesar disso, a nossa vida familiar não é ruim, muito pelo contrário. O nosso lar é tranquilo e tanto eu quanto a Hayley damos muito amor e carinho aos nossos filhos. Isso é muito mais do que eu e os meus irmãos tivemos dos nossos pais.

Eu e a Hayley mantemos o nosso casamento para que possamos criar os nossos filhos da melhor maneira possível, para que eles tenham um lar estruturado, até que estejam bem crescidos. Ela sabe que esse acordo termina quando enviarmos o Robby para a faculdade. Se Deus quiser, ele entrará em Harvard e, assim que eu o acomodar no dormitório da universidade, vou embora de casa. É uma pena, mas a minha vida e a da Hayley precisa continuar e, quem sabe, poderemos ser felizes de outra forma. Nós já acertamos até como será a divisão dos nossos bens. Quando esse dia chegar, tenho certeza de que terei paz na minha vida pessoal, o que eu espero manter até o fim dos meus dias. Mas, enquanto o dia da nossa separação "programada" não chega, continuaremos cuidando dos nossos filhos com todo o amor e vivendo como uma família.

Todas as vezes que passamos os finais de semana ou as férias juntos, eu sempre levo os meus filhos para passeios que tragam não somente diversão, mas um pouco de conhecimento também! Eu não gosto da ideia de apenas ficar com a minha família em casa, sem fazer nada. Não acho isso bom para os meus filhos, então, procuro estabelecer uma "programação" para os nossos momentos juntos. Viagens, passeios e outras atividades com os pais são coisas muito importantes para o crescimento e o desenvolvimento das crianças.

Ser pai não é só levar os filhos para passear, dar amor, carinho e educação formal. Tratar de assuntos psicologicamente delicados também faz parte da nossa função. Quando a minha filha Sydney era menor, ela não se achava bonita e isso prejudicava a sua autoestima. Ela acabava sofrendo muito *bulling* na escola. Eu precisei conversar com ela com muito cuidado, tentando tirar esse complexo da sua cabeça, e tinha que me controlar para não "avançar" nos pais das outras meninas que permitiam que suas filhas a maltratassem na escola.

Eu conversei sobre sexo com a minha filha, pela primeira vez, aos 8 anos de idade. Eu a levei à uma exposição no museu da Califórnia, uma famosa exibição que percorreu o mundo, com dois corpos gigantes, de um homem e de uma mulher, onde era possível visitar cada parte do corpo humano. Naquele dia, eu expliquei, de uma maneira bem lúdica, que a "sementinha" do papai vai para o "forninho" da mamãe e, então, o bebê é gerado. Eu segui exatamente o que dizem os livros: aos 8 anos explica-se a reprodução, o sexo com muito amor, e aos 12 anos as crianças já estão aptas para aprender a respeito das doenças sexualmente transmissíveis. Quando chegou a hora certa, repeti o mesmo procedimento com o Robby.

À medida que os meus filhos crescem, a dinâmica familiar acaba mudando um pouco. A Sydney está na fase da adolescência, passando por todas as implicações físicas e emocionais que essa época da vida nos impõe. Na escola e para os amigos, ela gosta de dizer que é brasileira pois, hoje em dia, a mulher brasileira é um estereótipo de beleza para os americanos. O Robby, meu filho, é o meu "companheirão". Fazemos tudo juntos!

A minha maior preocupação na vida, sem sombra de dúvidas, é cuidar dos meus filhos da melhor maneira possível. Essa é, acredito, uma das maiores e mais importantes tarefas que temos neste mundo e farei de tudo que estiver ao meu alcance para prover a melhor formação cultural e espiritual para a Sydney e para o Robby.

Minha mãe

Apesar de alguns desentendimentos no decorrer dos anos, hoje em dia eu e a minha mãe temos um relacionamento muito bom. Ela mora com o meu irmão Jacques, em Los Angeles e, como ele nunca se casou, minha mãe e ele cuidam um do outro.

Dona Avelina, ou "Ava", como é chamada, sempre foi uma pessoa com um coração enorme. Sempre se preocupou em ajudar os filhos e até mesmo estranhos. Só posso lamentar o grande sofrimento que ela passou nas mãos do meu pai, entretanto, com a sua mudança para os Estados Unidos, ela acabou conquistando independência e liberdade, pois se afastou definitivamente de quem lhe fazia muito mal.

Ela ainda tem um bom relacionamento com as minhas irmãs, o que me deixa feliz. A vida da minha mãe não foi nada fácil mas, atualmente, tenho a tranquilidade de saber que ela está bem, saudável e feliz.

Walkyria e Valdívia

Depois da High School, minhas irmãs se tornaram modelos profissionais. Walkyria se casou com um namorado do colégio, Steve. Atualmente, eles moram em Chicago e formaram uma linda família. Valdívia, ou Diva, como sempre a chamamos, cresceu, e como cresceu! Ficou linda, tem quase 1,90 m de altura e aproveitou a sua beleza e o seu porte físico na carreira de modelo. Ela se casou com um americano chamado Michael, e tiveram filhos. As minhas irmãs souberam construir muito bem as suas famílias. Como eu, elas devem ter usado o modelo que tiveram para fazer tudo diferente.

Depois que fomos morar nos Estados Unidos, o meu relacionamento com as minhas irmãs sempre oscilou entre harmonia e brigas. Elas geralmente não concordavam com as minhas escolhas acadêmicas e profissionais, e quando algo não dava certo, eu era sistematicamente "atacado". Por outro lado, quando as coisas corriam bem, nosso relacionamento melhorava. Diante disso, quando eu enfrentava problemas, lutava sozinho ou com a ajuda da minha mãe e do meu irmão.

Hoje, ao olhar para trás, vejo claramente que esse tipo de relacionamento que eu mantive com as minhas irmãs nunca nos uniu. Isso me faz pensar que o maior apoio que uma pessoa deveria receber nos momentos mais críticos da vida deveria vir de dentro da família. Mas não foi assim que aconteceu comigo e estou certo de que isso também ocorre com muitas outras pessoas. Atualmente, eu tenho muito pouco contato com elas ou com suas famílias, a vida acabou por nos afastar. Muitas vezes, eu sinto falta dos momentos em que eu e meus irmãos estávamos juntos, unidos para enfrentar a vida.

> Sempre que possível, eu tento levar a minha família comigo para os lugares onde tenho compromissos profissionais. Com isso, posso aproveitar uma viagem a trabalho para passar um tempo a mais com meus filhos. Essa estratégia tem sido muito útil para que eu não fique tão afastado da minha família, mesmo trabalhando e viajando tanto.

Ao lado: Após a cerimônia de casamento na Memorial Church – Universidade de Harvard, 16/07/2000.

Abaixo: Festa de casamento na Universidade de Harvard, 16/07/2000.

Acima: Em aula de combate com facas – o professor é instrutor do Serviço Secreto dos Estados Unidos.

Ao lado: Sua dedicação às artes marciais chamou a atenção da maior revista especializada no assunto do mundo, a *Black Belt Magazine*.

Acima: Sempre incentivei meus filhos a praticar artes marciais. Robby começou com o Taekwondo bem pequeno. *Abaixo:* Brincando com meu filho, Robby.

Acima: Cuidando do jardim orgânico com Robby, em nossa casa em Beverly Hills.
Abaixo: Lendo a Bíblia com meus filhos, como costumo fazer com frequência – foto tirada em 2007.

Ao lado: Em 2010, com a família no Epcot Center – Orlando, Flórida.

Abaixo: Em 2010, mostrando o túmulo de meu pai ao meu filho. Robby descobre que o avô que nunca conheceu estava enterrado ali.

Acima: Aniversário de 14 anos da minha filha, Sydney – dezembro de 2014. *Abaixo:* Meu pai, Roberto Miguel Rey, aos 90 anos, já bastante debilitado, cerca de um ano antes de seu falecimento.

I am doing a breast surgery on monday on a very well known star. I would be untrue if I did not admit I was a bit stress.

Completing a cold reading class @ Marjorie Haber School.

We are completing our temple preparation class with our home teacher [...] and his wife

Página do meu diário onde escrevi sobre o nascimento da minha filha, Sydney.

12/7/00
Sydney McIntyre Ley has joined our earthly existance. She is perfect!! She has such good spirit. Peanut loves her. Hayley's mother graciously came to help us. We have been very blessed. Jack came to visit and brought gifts. The rest of the family called. She has not been sleeping well @ night, but president got me used to sleepless nights. I just love Sydney. Hayley had a complication from her epidural. She ha[s]

Página de um dos diários, na qual falo sobre o falecimento do meu pai, após visitar o túmulo, em São Paulo, com minha família.

Vida profissional 5

EU SEMPRE DIGO QUE "JÁ conseguia ler a placa da minha Ferrari muitos anos antes de me tornar rico e famoso"! Ninguém pode chegar ao seu objetivo se não tiver um; ou se o objetivo for tão nebuloso que não há como enxergá-lo.

Desde quando eu comecei a me organizar e planejar a minha vida, ainda menino, eu sempre soube exatamente o que aconteceria em cada ano da minha vida. Eu sabia que iria para Harvard e que um dia estaria na televisão e no cinema.

O que mais me ajudou a vencer na vida foi que, desde cedo, eu tinha a determinação de ir até o fim em tudo o que eu começasse. Eu não sei de onde isso veio, mas eu sempre tive isso, desde criança. Comecei o Taekwondo e me formei faixa preta, e fiz o mesmo com o Hapkido. Tanto no Taekwondo quanto no Hapkido, eu cheguei ao segundo Dan. No escotismo, eu fui até o nível mais alto. E assim foi em todas as áreas da minha vida.

Como eu, outras pessoas da minha família também tiveram algum tipo de interesse pelas artes. Meu avô por parte de mãe era fazendeiro, mas, por vocação, conduzia uma pequena banda. Meu irmão

VIDA PROFISSIONAL

se tornou um respeitado designer e, posteriormente, trabalhou como cenógrafo em Hollywood. Ele esteve envolvido na produção de muitos videoclipes e filmes de sucesso. Meu pai desenhava muito bem, e eu, além do interesse pela medicina e pelas ciências, sempre gostei de desenhar, tocar e interpretar. Muitas pessoas brincam comigo, dizendo que eu sou um médico tentando ser um ator. Mas, na verdade, eu sou um ator que acabou se tornando um médico! Minha carteira do Screen Actors Guild (Associação de Atores Profissionais dos Estados Unidos) é datada de 1980, enquanto a minha licença médica é de 1993! Eu já era um ator profissional mais de uma década antes de me tornar um médico!

Eu amo a prática da medicina, pois ela me dá a oportunidade de ajudar as pessoas, mas, nos planos mais audaciosos da minha vida, é a medicina que me ajuda a ter reconhecimento e a transmitir credibilidade para o mundo todo.

Há muitos cirurgiões plásticos que nasceram com a arte em suas almas, e isso não é nada incomum. Mas alguns acabam envolvidos e se destacam em alguma atividade artística como, por exemplo, o famoso Dr. Burt Brent, que atuava no norte da Califórnia. Ele é um fenômeno em cirurgia estética e reconstrutiva, e também um brilhante escultor.

Quando eu me mudei para Los Angeles, em julho de 1998, eu não tinha nada no mundo, além dos meus diplomas, meu carro e meus objetos pessoais. Como muitas pessoas, eu cheguei à cidade para tentar a vida somente com uma mala e um sonho. Foi, então, que a minha grande batalha pelo sucesso realmente começou.

No início, eu aluguei um consultório tão pequeno que se eu me deitasse no meio da sala e esticasse os braços e as pernas para os lados, quase podia tocar as quatro paredes! Mesmo assim, aos poucos, fui conseguindo alguns trabalhos. Comecei também a atender em uma clínica em Newport Beach, uma cidade próxima a Los Angeles.

Nós, médicos, não recebemos nenhuma formação em negócios no curso de Medicina, embora se espere que saibamos administrar consultórios ou clínicas particulares.

No meu primeiro ano em Beverly Hills, eu fiz muitas cirurgias plásticas gratuitas. Muitas mesmo! As pacientes geralmente eram jovens que chegavam de ônibus a Los Angeles, com o sonho de se tornarem estrelas em Hollywood. Depois de visitar as agências de atores e ouvir que precisavam ter belos seios e um corpo escultural para fazer carreira no cinema, essas moças acabavam me procurando. Entre 1998 e 2000, eu realizei mais de vinte cirurgias mediante a promessa de que logo seria pago, mas, é claro, raramente eu via aqueles lindos rostinhos novamente. Foram poucas as que voltaram e, mesmo assim, eu recebia os valores em tantas parcelas que mal conseguia cobrir meus custos. Meu objetivo com essas cirurgias era começar a ser conhecido nos estúdios de cinema. Presumidamente, as aspirantes a estrela logo ficariam famosas, divulgariam o meu trabalho e eu teria a mídia a meu favor.

Até meados do ano 2000, depois de dois anos tentando me estabelecer em Los Angeles, a única coisa que eu consegui foi me endividar! Eu devia mais de 50 mil dólares, já não podia mais pagar pelas próteses que utilizava e as fábricas se recusavam a me enviar o material necessário. Imagine um cirurgião plástico que não tem próteses para trabalhar! Fui obrigado a deixar de fazer esse tipo de cirurgia temporariamente.

Então, comecei a realizar apenas cirurgias pelas quais era devidamente pago. Aos poucos, consegui recuperar o bom relacionamento com o fornecedor de próteses e não tive mais problemas para fazer o meu trabalho.

Apesar de não poder citar os nomes das minhas pacientes, posso dizer que uma das jovens que eu operei de graça acabou se tornando uma modelo famosa e, posteriormente, apresentadora de televisão. Outra, para quem eu fiz uma lipoaspiração também sem cobrar, foi para o outro lado das câmeras e tornou-se uma das principais diretoras de um programa de grande audiência da TV americana, *Dr. Phil*. Por coincidência, o Dr. Phil acabou sendo meu vizinho em Beverly Hills, pois também ficou milionário devido à sua grande exposição na

TV. Entretanto, não foi coincidência eu ter ido seis vezes ao programa dele. Foi graças àquela minha paciente que literalmente desceu do ônibus em Los Angeles e, depois de contratar um agente, me procurou para conseguir uma cirurgia, mesmo sem ter dinheiro para pagá-la. Ao se tornar uma importante diretora, ela me retribuiu o favor.

Como parte do meu plano para utilizar a mídia — e também para ganhar um dinheiro extra — passei a me entrosar na área de publicidade. Comecei a fazer alguns comerciais de TV, fotos para material publicitário e cheguei a dançar em alguns videoclipes, inclusive em um da Beyoncé! Tudo para me enturmar com o pessoal da TV, esperando a oportunidade para colocar em prática o projeto "Dr. Hollywood".

Eu já havia criado e escrito, entre 1996 e 1997, todo o conceito do programa e do reality show. Quando me mudei para Los Angeles, levei esse material ao Sindicato dos Escritores (Writers Guild), para providenciar o registro do nome e da ideia do programa de TV. A partir daí, eu me tornei oficialmente o dono da marca *Dr. Hollywood*. Era uma marca muito boa, um nome forte que acabou trazendo resultados que nem eu mesmo poderia imaginar!

Entretanto, antes de alcançar o sucesso, enfrentei um dos piores períodos da minha vida profissional e pessoal que, como todos sabem, acabam se misturando quando as coisas não vão bem! Eu era constantemente "bombardeado" pelas minhas irmãs e até pela minha mãe, que me acusavam de ser megalomaníaco, pois não se conformavam com o fato de eu estar lutando por uma carreira como cirurgião plástico em Beverly Hills e, paralelamente, tentando uma colocação na mídia.

Tudo parecia tão difícil e os gastos eram tão elevados que ninguém acreditava que eu fosse conseguir! A única pessoa que esteve ao meu lado o tempo todo e até me ajudou financeiramente foi o meu irmão, Jacques.

Contudo, as críticas que eu recebia, feitas na tentativa de me desanimar ou simplesmente para desdenhar dos meus sonhos, não me abalavam. Desde pequeno, eu mesmo costumava dizer que não gostava do "menino do espelho". Por isso, nada do que diziam sobre mim conseguia ser pior do que eu mesmo pensava. Quando eu ouvia minhas irmãs, minha mãe ou qualquer pessoa dizendo que eu era um idiota ou um perdedor, isso não me abalava, porque era exatamente o que eu pensava de mim mesmo! Porém, o importante nisso tudo é que, mesmo ouvindo e pensando coisas ruins sobre mim, eu nunca parei. Acredito que essa tenha sido uma das chaves para chegar aonde cheguei.

Se eu fosse um rapaz nascido em uma família normal recebendo uma crítica ou sendo chamado de idiota e perdedor, eu certamente teria "desmoronado". Mas, como eu sempre tive esses pensamentos autocríticos e me achava um sonhador bobo, ouvir isso dos outros não me afetava. Tudo o que falavam de mim, no fundo, eu concordava! Eu ainda me considero um tolo, mas tenho a certeza de que eu sou o tolo de maior sucesso no mundo!

Eu segui trabalhando da melhor maneira possível, e não tinha a menor ideia do que estava para acontecer, até que um dia, tudo começou a mudar.

Em uma consulta rotineira, uma paciente pediu para que eu fizesse um implante nos seus seios. Eu a examinei e decidi fazer a sua cirurgia utilizando um método totalmente novo, revolucionário na época, que eu tinha ajudado a desenvolver em Harvard.

A técnica consistia em fazer o implante através do umbigo, sem deixar qualquer cicatriz nos seios. Era uma cirurgia transumbilical, utilizando o endoscópio e braços robóticos. Com essa tecnologia, eram implantadas duas pequenas bolsas nos seios que, depois, eram preenchidas com uma mistura de água e sal, até que atingissem o tamanho desejado. O implante com a bolsa de água e sal é muito melhor e mais seguro do que o de silicone, que oferece o risco de causar granulomas (um tumor benigno). Então, eu remodelei os seios dela usando essa tecnologia, e fui um dos primeiros em Los Angeles a usar a técnica.

O caso é que a jovem trabalhava como recepcionista em um canal de TV, relativamente novo na época, chamado E! Entertainment Television, especializado em mostrar a vida de celebridades e também grandes eventos do mundo do cinema, da televisão e da música. Ela ficou tão feliz e satisfeita com o resultado, especialmente por não ter ficado com nenhuma marca, que passou a comentar com todas as colegas e com todas as celebridades que ela recebia no trabalho sobre a sua maravilhosa cirurgia sem cicatriz feita por um "médico bonitão" recém-chegado de Harvard.

Então, um mês depois, um diretor do canal E! me procurou, dizendo que queriam fazer um programa de TV comigo, falando sobre a técnica de implante de próteses nos seios, sem deixar cicatrizes. Àquela altura, o canal E! já estava sendo assistido na maior parte dos hotéis, em todo o mundo. O primeiro programa que eu fiz se chamou *Plastic Surgery*, e foi ao ar em junho de 2000.

O programa não fazia parte de nenhuma série, foi um episódio único, como um documentário, mas tinha o formato de um reality show, pois eu falava sobre cirurgia plástica enquanto as câmeras me acompanhavam e mostravam um pouco da minha rotina pessoal. Além do interesse em cirurgia plástica, o público gostou de ver um pouco da vida pessoal de um médico solteirão, saindo com os amigos para paquerar!

O fato de mostrar o lado pessoal e humano de um médico foi realmente muito atrativo: o programa fez um sucesso estrondoso, e foi repetido mais de 50 vezes em um ano, só nos Estados Unidos, e vendido posteriormente para emissoras de todo o mundo. Esse foi o meu grande "estouro"! Daí em diante, tudo mudou na minha vida.

Pouco tempo depois, graças à grande exposição na TV, eu comecei a realizar um número tão grande de cirurgias que fui apontado como o cirurgião plástico mais ocupado do mundo, segundo pesquisas feitas pelo canal E!. É engraçado pensar que em apenas um ano passei de uma dívida de 50 mil dólares para um faturamento diário de 50 mil dólares! Além das cirurgias, eu também comecei a participar de vários programas do canal E! e também de outras emissoras, ou seja, depois do programa *Plastic Surgery*, mesmo antes de estrear o *Dr. Hollywood*, eu já estava ficando milionário, rapidamente.

Após o sucesso do programa *Plastic Surgery*, eu achei que estava na hora de bater na porta dos principais canais de televisão dos Estados Unidos, oferecendo o projeto do programa *Dr. Hollywood*. Apesar da minha certeza de que tudo daria certo, nem uma das principais emissoras americanas se interessou. Então, recorri àqueles que haviam me proporcionado a primeira oportunidade na TV, o canal E!. E eles toparam!

Apesar de eu ter oferecido o programa com o nome *Dr. Hollywood*, a emissora preferiu usar o nome *Dr. 90210*, em referência ao código postal, o CEP de Beverly Hills, a famosa cidade onde vivem as maiores celebridades americanas, bem como astros e estrelas do cinema e da TV. Aquele foi o segundo reality show a ser apresentado na televisão americana e estreou no dia 11 de julho de 2004.

Finalmente eu começava a ver o meu sonho realizado. Nascia ali o Dr. Hollywood, como eu fiquei conhecido em todo o mundo.

Dr. 90210 – o nascimento do Dr. Hollywood

O investimento inicial feito pelo E! para produzir os 13 primeiros episódios foi de apenas 1 milhão de dólares. Eu digo "apenas", porque para os padrões da TV americana, esse valor estaria mais compatível com a produção de somente um episódio.

Cada episódio aborda temas diferentes. A cirurgia plástica e a minha vida pessoal eram os temas centrais, entretanto, a história dos pacientes que eu atendia em frente as câmeras acabam tendo uma grande importância no conteúdo do episódio. O público acaba se identificando com muitos dos pacientes e suas necessidades de melhorar a auto-estima.

O primeiro episódio, que foi ao ar em 11 de junho de 2004, mostrava o meu empenho, ainda como um médico formado havia poucos anos, em me tornar um cirurgião plástico respeitado em Los Angeles. O público começou a conhecer melhor a minha família, minha rotina e a minha forma de pensar. Nesse primeiro episódio, havia a história de um homem que desejava fazer uma arriscada cirurgia para remover as bolsas abaixo dos olhos. Ainda no mesmo episódio, uma moça que se submeteu a quatro cirurgias nos seios, feitas por um dentista! Imaginem o resultado! Eu tive que "consertar" o corpo daquela moça, e ajudá-la a superar os problemas psicológicos decorrentes do resultado daquelas cirurgias.

Os episódios mostram aspectos diferentes da minha vida pessoal e da prática da cirurgia plástica. O meu trabalho é fazer com que as pessoas melhorem a sua auto-estima e sintam-se bem com seus corpos. Isso, sem dúvida, ajuda muito na felicidade de cada um. Entretanto, cada paciente, cada caso e cada situação podem ser únicas. As pessoas me procuram para fazer as mais diferentes cirurgias plásticas e, muitas vezes, pelos motivos errados ou desejam atingir objetivos que, certamente, não farão bem algum. Os dramas pessoais dos pacientes acabam se tornando o elemento principal de muitos episódios. Mulheres que desejam seios grandes demais ou não se preocupam com a saúde, só com a aparência, precisam ser conscientizadas de que a cirurgia plástica pode ser uma ótima solução para muitos problemas mas, com certeza há outras formas de ser feliz. Exercícios, boa alimentação e cuidados com a saúde, são ótimas maneiras de se "prevenir" a necessidade de cirurgias. E isso eu tento passar durante os episódios do Dr. 9210 ou Dr. Hollywood, como é chamado no Brasil.

O programa obteve um sucesso instantâneo e rapidamente chegou a mais de 170 países. Como em muitos outros lugares, aqui ele foi apresentado como *Dr. Hollywood*, e também foi um dos primeiros reality shows na televisão brasileira.

O sucesso foi espantoso e o retorno financeiro chegou a mais de meio bilhão de dólares, só nos Estados Unidos! O programa também foi responsável pelo vertiginoso crescimento do canal E!. Em apenas quatro meses, o *Dr. 90210* conquistou a maior audiência que o canal E! já havia alcançado até então, e a emissora, que antes alugava um pequeno espaço para escritórios, hoje tem um grande prédio, com diversos núcleos de produção e programas de grande audiência. A receita do *Dr. 90210*, bem como de outros programas que fiz naquele canal, ajudou a pagar os salários da emissora por mais de 10 anos. Tudo o que fizemos lá obteve um estrondoso sucesso.

Durante muito tempo, algumas pessoas me questionaram sobre a diferença de faturamento que o programa obteve no Brasil, de 5 milhões de dólares – bem inferior ao obtido nos Estados Unidos. Mas eu entendo que o ponto principal seja o fato de que o programa rendeu 5 milhões de dólares em cada um dos países para os quais ele foi vendido — um total de 173. É só fazer a conta. O faturamento mundial do *Dr. Hollywood*, além dos Estados Unidos, foi de cerca de 875 milhões de dólares, já na terceira temporada! Cada episódio do programa era assistido por mais de 370 milhões de pessoas em todo o mundo.

O programa *Dr. Hollywood*, ou como é chamado nos Estados Unidos, *Dr. 90210* influenciou uma geração de médicos. Segundo pesquisas, mais de 100 mil jovens optaram pela medicina por terem assistido o programa, que mostra o dia a dia de um cirurgião. Isso, certamente, foi um grande incentivo para muitos.

Fama gera mais reconhecimento

Após a estreia, eu passei a ser convidado para participar dos mais diversos programas de TV dos Estados Unidos. Além da ótima divulgação, isso ajudou a construir a minha fama pessoal. Em 2005, um ano depois, eu estava no auge!

Graças ao show, minha vida profissional tornou-se muito mais agitada. Apesar disso, gravar aquele programa era um trabalho de período integral. E os riscos eram altos, pois se eu cometesse um só erro, ele seria transmitido para o mundo todo.

No auge do programa, eu era um dos profissionais mais bem pagos da Criative Artists Agency, que é a maior e mais importante agência de artistas do mundo. Lá são agenciadas algumas das maiores estrelas do show business, atores como Tom Cruise, George Clooney, Robert De Niro e Tom Hanks, atrizes como Cameron Diaz, bandas como o Bon Jovi, e cantoras como Demi Lovato, Christina Aguilera e Miley Cyrus, entre muitas outras celebridades.

VIDA PROFISSIONAL

A minha vida se transformou completamente. Em pouco tempo, me tornei um médico famoso, visto semanalmente na televisão em um programa com um conceito novo, que eu havia ajudado a criar. Através daquele programa eu deixei a minha marca, criando algo de inédito na televisão.

Em razão da crescente fama, passei a ser disputado para filmes publicitários e fotografias para anúncios. Meu cachê subiu vertiginosamente, e cheguei a ganhar somas de até 75 mil dólares para gravar um comercial — o primeiro foi para a rede de lanchonetes Carl's Junior, em abril de 2006. Além disso, comecei a receber convites para participar de eventos no mundo todo. Muitos desses eventos acabaram sendo ótimas oportunidades para reforçar a divulgação dos meus programas de TV e da minha imagem, tanto pessoal como profissional.

No Brasil, fui chamado para ser jurado do concurso Miss Brasil por dois anos consecutivos, em 2010 e 2011. E, ainda em 2011, fiz a cobertura do concurso Miss Universo, que pela primeira vez acontecia em nosso país e foi transmitido pela Rede Bandeirantes.

Em importantes premiações, como o Oscar e o Globo de Ouro, eu e a Hayley éramos filmados e fotografados no tapete vermelho junto às grandes figuras do cinema mundial. Mais tarde, em 2012 e 2013, passei a fazer a cobertura desses eventos, entrevistando celebridades na chegada ao tapete vermelho do Oscar, em Los Angeles.

Com a fama, outro negócio lucrativo com o qual eu nunca poderia sonhar acabou surgindo: eu comecei a ser pago para ir às festas! No mundo todo, as celebridades recebem um cachê para participar de eventos sociais, para ajudar na divulgação e atrair publicidade. Mesmo sem procurar por isso, os convites começaram a se multiplicar. É preciso ser seletivo, claro, mas, em muitos casos, eu acabo sendo pago para comparecer a festas e eventos que eu adoraria ir, mesmo sem receber!

O segredo disso tudo é saber trabalhar bem com a mídia e, para isso, é preciso estar sempre em evidência.

Aparência é fundamental

Desde que escolhi o meu caminho profissional, trilhando a carreira médica e procurando me destacar na mídia, eu sempre soube da importância de ter e manter uma boa aparência. Como em tudo o que eu faço, passei a levar muito a sério a minha determinação de estar sempre em boa forma física e saudável. Esse grande empenho trouxe bons resultados, pois não só minha aparência se mantém mais jovem como acabou chamando ainda mais a atenção da mídia sobre mim.

Por dois anos, em 2007 e 2009, fui considerado, pela revista americana *Star*, uma das principais revistas de celebridades daquele país, como tendo um dos corpos mais perfeitos! Em minha opinião, isso é incrível! Não só me senti lisonjeado por ter sido escolhido, como espantado em me ver ao lado de jovens astros americano, de 22 a pouco mais de 30 anos de idade, sendo que em 2007 eu estava com 46 e em 2009 com 48 anos de idade. Isso apenas comprova que tudo que eu recomendo aos meus pacientes, para se manterem jovens, saudáveis e em boa forma física, eu coloco em prática e realmente funciona! Como curiosidade, vou contar, rapidamente, como eu cuido do meu corpo, da saúde e consigo ficar jovem por mais tempo, retardando alguns dos efeitos do envelhecimento.

1– Eu escolhi ser uma pessoa feliz — essa escolha, pode parecer boba, mas é capaz de transformar a sua vida!

2– Controlo o estresse do dia a dia — o estresse é um dos maiores venenos para o nosso corpo.

3– Pratico artes marciais todos os dias, menos no dia de Deus — domingo.

4– Alimentação regrada e saudável — eu sigo a dieta paleolítica —como o equivalente ao tamanho de uma mão de carne, seja carne vermelha, ave ou peixe, a cada 4 horas. É uma dieta a base de proteínas, frutas e verduras. O importante é comer carne ou qualquer proteína animal.

Os maiores venenos são trigo, milho, arroz, soja e batata, alimentos que podem causar diabete, falta de libido, impotência, artrite, problemas de coração e circulação sanguínea. Nozes não apresentam contra indicação, mas sementes, sim. Hoje em dia, graças à agricultura moderna, nós comemos diversos alimentos que contém muito estrogênio, o que pode levar à impotência e à perda de libido. A soja, por exemplo, é um fitoestrogênio. Os alimentos fáceis de armazenar são os mais nocivos, especialmente, os grãos. Até mesmo as carnes, são injetadas com estrogênio. A nossa dieta está muito limitada!

5– Suplementação — eu tomo 27 comprimidos por dia de suplementos alimentares.

Bom, esse é o meu segredo de saúde!

Sucesso traz admiração e inveja

É interessante como o sucesso pode despertar nas pessoas sentimentos antagônicos: para muitos, observar e aprender com aqueles que venceram pode ser inspirador e altamente motivador, entretanto, para outros, o sucesso alheio é motivo de inveja e até mesmo razão para confrontos.

No meu caso, o sucesso que eu obtive como cirurgião plástico e homem de mídia despertou muita inveja e, consequentemente, recebo muitas críticas de grande parte da comunidade de cirurgiões plásticos, tanto nos Estados Unidos quanto no Brasil, bem como em outras partes do mundo. Muitos dos meus desafetos eu sequer conheço pessoalmente, mas ouço as críticas feitas em entrevistas ou leio na mídia impressa.

Costumo dizer que tenho milhões de fãs nos 173 países onde sou reconhecido, mas tenho no mínimo 7.000 inimigos, só nos Estados Unidos. Esse é o número aproximado de cirurgiões plásticos do país. Sou constantemente atacado pelos meus colegas de profissão de lá, nas redes sociais, na TV, na imprensa escrita e dentro das entidades médicas. Isso me obriga a manter registros de tudo que faço, pois a qualquer momento estou sujeito a ter que provar que não cometi erros nem estou infringindo qualquer lei. Isso é, no mínimo, lamentável.

Aqui no Brasil, eu passei por uma situação constrangedora certa vez, quando procurei um grande cirurgião plástico a quem admirava muito e sempre tive o desejo de conhecer. Então, liguei e marquei um horário, pedindo que ele me recebesse. Quando estive no seu consultório, ele me recebeu com tanta frieza e menosprezo que me senti deslocado, nem conseguia acreditar no que estava acontecendo. Por muito tempo me perguntei a razão pela qual ele aceitou me receber, se claramente não gostava de mim. A única resposta que consigo imaginar é que ele, deliberadamente, queria mostrar o quanto me desprezava. Para mim, foi uma atitude doentia, sem mencionar a grande falta de educação e humanidade.

Todos os anos, eu compareço à reunião do departamento de cirurgia plástica do Hospital Cedars-Sinai, em Los Angeles. Não gosto dessas reuniões, pois sei que a grande maioria dos colegas presentes não tolera o meu sucesso. Por mais bem-sucedido que um cirurgião plástico consiga se tornar, a exposição que eu tenho na mídia me garante a posição de cirurgião plástico mais famoso e isso é algo que incomoda muito, e muitos ali se julgam melhores e mais dignos do que eu.

Eu tenho plena consciência de que existem ótimos cirurgiões plásticos no mundo e, certamente, muitos que possuem conhecimento superior ao meu. Seria muita prepotência da minha parte acreditar que eu seja o melhor cirurgião do mundo. Isso seria uma loucura da minha parte! Entretanto, não posso mudar a realidade: em razão de tantos anos de exposição na mídia mundial, eu me tornei o mais conhecido. O problema é que boa parte da comunidade médica simplesmente não entende essa realidade ou prefere não entender!

Apesar desse relacionamento "pesado" com parte da comunidade de cirurgiões plásticos, a gratidão de pacientes felizes com os resultados das cirurgias e a satisfação dos telespectadores que escrevem para mim dizendo como determinados episódios dos meus programas tiveram influência positiva em suas vidas, são uma grande recompensa e fazem com que toda a crítica e inveja fiquem em um plano muito inferior. Eu costumo receber milhares de e-mails e cartas de fãs e pacientes, me agradecendo e me incentivando a continuar o meu trabalho. Isso é realmente gratificante! Em todos os lugares aonde vou, recebo pedidos de autógrafos ou para tirar fotos com fãs. E eu sempre procuro tratar bem e dar atenção a todos que se aproximam.

Por outro lado, o fato de ser uma pessoa pública tem suas desvantagens. Infelizmente, sempre há pessoas doentias e mal intencionadas, dispostas a destilar o seu veneno. Eu já cheguei a receber algumas cartas bem ofensivas. Um exemplo disso aconteceu em maio de 2005, quando recebi uma carta de uma telespectadora que se sentiu ofendida com um episódio do programa *Dr. Hollywood*, em que mostrávamos um casal composto por um rapaz negro e uma moça branca. A mulher, claramente racista, disse que achava revoltante eu ter mostrado na TV um casal "misturado" e ameaçou a mim e a minha família. Mas esse tipo de coisa é apenas uma consequência negativa da grande exposição e graças a Deus sempre foi irrelevante diante da parte positiva.

A mídia

Eu tenho plena consciência de que sou um produto da mídia. E para conseguir os meus objetivos, o truque é dar à mídia o que ela quer: grande audiência. Eu não espero muito retorno, só tento me manter em exposição.

Para se ter uma ideia, nos Estados Unidos, enquanto a emissora faturou cerca de meio bilhão de dólares com o programa *Dr. 90210*, eu ganhei cinco mil dólares por episódio. Para o meu atual padrão de vida, esse valor seria muito pouco, é o que preciso gastar com a manutenção dos meus carros, por exemplo. Entretanto, eles foram bem honestos comigo, dizendo que o meu salário não iria me deixar rico, mas eu seria conhecido em todo o mundo e isso sim me deixaria milionário. Eles estavam certos!

Até hoje, eu não peço muito dos veículos de mídia, porque sei que eles são a fonte de energia para a minha carreira. Eu realmente não ganho muito para participar ou apresentar programas de TV. Atualmente, estou começando a gravar um programa em que eu viajo pelo mundo todo, mostrando como a medicina é ou era praticada nas mais diversas regiões do planeta. Eu pretendo explicar, por exemplo, como a cirurgia era praticada no antigo Egito, mostrando crânios de cinco mil anos com sinais de neurocirurgias. Não ganharei muito mas, novamente, entrarei nos lares de muitas pessoas, pois é um programa da TV americana, e provavelmente acabará sendo comercializado para muitos países. Ao ser convidado para este programa, eu nem mesmo pedi para ser produtor associado, o que me garantiria muito mais retorno com a série. Eu realmente não vejo a mídia como um fim, mas como um meio para alcançar meus objetivos profissionais.

A maior ferramenta que eu uso para obter sucesso é a mídia. Através da televisão, eu entrei em todos os lares dos Estados Unidos e, depois, do mundo todo. Ficando conhecido, eu pude crescer na carreira de cirurgião plástico, dar vazão ao meu lado criativo e artístico e, ainda, usar os melhores canais para vender minhas linhas de produtos. Eu sempre soube que a mídia é como radioatividade: pode matar ou pode ajudar, gerando força e energia. A radioatividade pode dar energia e ajudar em diagnósticos médicos ou, como em uma bomba, ela pode explodir e matar milhões! Eu sempre usei a mídia com muita cautela, para que eu pudesse gerar negócios que trouxessem o meu sucesso empresarial, profissional e, ainda, a possibilidade de acumular recursos necessários para entrar fortemente em campanhas políticas, o meu atual foco de atuação.

Fama cria mais fama. No início do meu estrondoso sucesso na TV, passei a ser convidado para a maioria dos principais programas de entrevistas da televisão americana e internacional. Nos Estados Unidos, estive no *The Tonight Show*, apresentado por Jay Leno, *Good Morning America*, *The Early Show*, *The View* e *Dr. Phil*, entre outros. Essas entrevistas me deixavam ainda mais conhecido e aumentavam a minha credibilidade junto ao público.

VIDA PROFISSIONAL

Eu também participei e apresentei outros programas do canal E!, incluindo *Os 101 Melhores Corpos*, *Falso ou Verdadeiro*, e muitos outros. O meu reality show ficou no ar por mais de seis temporadas e foi muito bem recebido, pela crítica e pelo público. Eu também fui um correspondente médico especial no programa *The Insider*, exibido por cerca de 5 anos no canal CBS, uma das maiores redes de TV aberta dos Estados Unidos. Eu apresentava alguns dos segmentos de maior audiência do programa.

Com o sucesso do *Dr. Hollywood*, tive a oportunidade de participar em programas da TV hispânica. Fiz reportagens médicas, por mais de 2 anos, para a Telemundo, canal hispânico sediado nos Estados Unidos. Também fiz diversos programas independentes, para os canais Univision e Asteca, entre outros.

Internacionalmente, participei de muitos programas em canais como a TV3 na Irlanda e o Canal 5 na Inglaterra, além de mais de 200 participações como convidado em programas realizados em Caracas, na Venezuela, em Sydney, na Austrália, em Capetown, na África do Sul, em Londres, na Inglaterra, em Toronto, no Canadá, em Buenos Aires, na Argentina e vários outros.

Aqui no Brasil, foram inúmeras participações: o programa da apresentadora Márcia Goldsmith, na Band; da Eliana, do Sílvio Santos e o *The Noite*, com Danilo Gentile, no SBT, o programa *Superpop* da apresentadora Luciana Gimenez e o *Dr. Hollywood*, com Daniela Albuquerque, na RedeTV! — emissora que ainda transmite a versão brasileira do meu reality show. Parte do programa *Dr. Hollywood* é gravada nos Estados Unidos e parte é produzida nos estúdios da própria RedeTV!. Mais recentemente, estreei um *talk show* na Rede Brasil, no qual entrevisto personalidades de vários segmentos.

A fama na TV acabou me rendendo um papel no cinema, em 2007. Interpretei um cirurgião plástico no filme *Americanizing Shelly*, com o astro Beau Bridges, lançado pela Universal Pictures.

Em 2010, a minha filha Sidney também teve o seu momento "estrela de Hollywood", atuando em um filme com o astro Dean Butler.

Ela estava com 10 anos de idade na época, e ficou muito animada. Eu e a Hayley ficamos muito orgulhosos! Aliás, Hayley também teve a oportunidade de participar em um filme. Ela atuou no filme *Not Another Not Another Movie*, comédia lançada em 2011.

Em maio de 2009, eu estreei um novo programa, *Fake or Real* (Falso ou Verdadeiro), também no canal E!. Fiquei muito feliz com o novo programa, pois sabia que o *Dr. Hollywood*, depois de muitos anos, sairia do ar. E manter a minha imagem na telinha era muito importante para que eu pudesse prosseguir com os meus planos de negócios!

Entretanto, o *Dr. Hollywood* acabou continuando e o último episódio foi ao ar em junho de 2010. Depois disso, fiquei "fora do ar" por cinco meses. Em Hollywood, quando isso acontece, você simplesmente não existe! Realizações no passado não importam, portanto, eu estou sempre procurando boas oportunidades para me manter na TV, de preferência, com grande regularidade. Após esses cinco meses, comecei a gravar um novo programa, o *Dr. 90210 Extreme: The Return of Dr. Rey*, que, graças a Deus, também foi um sucesso nos Estados Unidos.

Em 2010, fui convidado para apresentar um programa na TV da Irlanda. O programa, chamado *The Cosmetic Surgery Show*, era do mesmo produtor do *The Cosmetic Surgery Live*, que eu havia apresentado na TV da Inglaterra, três anos antes. Com isso, eu continuava sendo assistido no Reino Unido e mantendo a popularidade por lá.

Na rádio, minhas participações incluem o famoso programa chamado "A Linha do Amor" (*Love Line*) e, atualmente, participo de dois programas: "Voz da América" e "No Rádio com Dr. Rey" (*On the Radio with Dr. Rey*). No Brasil, foram muitas participações em rádios como, por exemplo, na Transamérica FM.

Apesar de apresentar um impacto muito menor do que a televisão, a mídia impressa também acabou sendo uma fonte de divulgação para mim. Escrevi dezenas de colunas e artigos para as mais variadas revistas dos Estados Unidos, tratando de assuntos de cirurgia plástica, estética e beleza. Na revista Life & Style, por exemplo, eu tinha uma página semanal, na qual eu comentava os resultados obtidos por algumas celebridades, depois de realizarem intervenções cirúrgicas. Personalidades como Madonna, Brooke Shields e Angelina Jolie, não escapavam do meu olhar crítico, tanto para elogiar, quanto para apontar erros!

Medicina e a cirurgia plástica

Pioneirismo sempre foi a minha marca. Na medicina, por exemplo, eu fui um dos primeiros cirurgiões plásticos a utilizar a endoscopia e também um dos primeiros a implantar células-tronco nos seios e nádegas. Hoje, essas técnicas são amplamente difundidas, mas antes os cirurgiões colocavam somente implantes. Eu nunca me comportei da maneira convencional no atendimento aos pacientes. Sempre acreditei ser muito importante demonstrar envolvimento e amor, abraçar e mostrar que eu realmente me preocupo com meus pacientes e seu bem-estar. Até os anos 1980 e 1990, a forma tradicional como os médicos atendiam e tratavam seus pacientes era fria e distante. Na época, isso era apenas uma demonstração de profissionalismo levado ao extremo. Eu nunca concordei com isso e, assim que pude demonstrar o contrário na TV, muitos médicos começaram a entender a importância de acolher com carinho e amor os seus pacientes. Novamente, eu tive a chance de difundir algo bom e inovador.

É claro que não fui eu quem inventou esse conceito de atendimento; apenas resgatei uma prática comum aos médicos no século XIX e boa parte do século XX. Nessa época, os médicos visitavam seus pacientes em casa e levavam, não somente a medicina, mas o conforto necessário a muitos pacientes. Infelizmente, a grande maioria dos médicos ainda vê seus pacientes como cifras a receber. Isso é muito triste e vai contra os conceitos básicos da própria medicina.

No meu estressante dia a dia no centro cirúrgico, com o passar dos anos, acabei incorporando um elemento para diminuir a tensão durante as cirurgias. Todos na sala de cirurgia costumam trabalhar até 14 horas por dia, e acabavam conversando e fofocando muito durante os procedimentos. Para mudar isso, ajudar na redução do nível de tensão e aumentar o rendimento de todos os envolvidos nas cirurgias, em vez de ligar o rádio e ficar ouvindo as mesmas músicas repetidamente, eu coloco gravações com a palavra de Deus ou discursos inspiradores de grandes líderes, como Winston Churchill, Abraham Lincoln ou Ronald Reagan. Também coloco gravações com músicas selecionadas, previamente aprovadas por todos os que estarão na sala de cirurgia. Tudo é feito de comum acordo; se alguém discorda, todos respeitam e escolhemos algo diferente. O importante é que todos no centro cirúrgico fiquem absolutamente à vontade e se sintam bem para executar o seu trabalho da melhor maneira possível.

Na minha carreira como cirurgião, hoje eu posso dizer, sem medo de errar, que sou considerado o cirurgião mais famoso da história da medicina. E quem afirma isso não sou eu, mas o departamento de estatística do canal E!. Um número pequeno da população mundial sabe dizer quem foi Alexander Fleming, o inventor do antibiótico, entretanto, centenas de milhões de pessoas sabem dizer quem é o Dr. Robert Rey, ou o "Dr. Hollywood".

Eu já fiz cirurgias em esposas de presidentes, mulheres pertencentes à nobreza europeia, princesas e até rainhas. Isso tudo sem mencionar um grande número de estrelas do cinema, da música e outras celebridades, além das esposas de famosos jogadores de basquete da NBA e de astros do beisebol. O sigilo profissional me impede de revelar os nomes dos meus pacientes, mas durante uma das temporadas do *Dr. Hollywood*, eu tentei fazer alguns episódios com celebridades. Entretanto, o máximo que eu consegui foi fazer com que a família do ator John Travolta me autorizasse a divulgar que "eu operei alguém na família Travolta", mas sem mencionar quem. Gravamos um programa na casa deles, e foi um grande sucesso!

Toda vez que uma grande celebridade ou uma importante figura pública opta por operar comigo, um esquema rigoroso de sigilo é montado. As cirurgias são sempre realizadas na minha clínica, em Beverly Hills, e somente o pessoal da minha equipe cirúrgica toma conhecimento e é autorizado a permanecer. Já fizemos tantas operações desse tipo que já estamos bem acostumados.

Minha proximidade com pessoas influentes no mundo todo, especialmente devido às minhas cirurgias, me renderam convites impressionantes, como a grande festa de aniversário oferecida para Nelson Mandela, na África do Sul, ou a suntuosa comemoração do Jubileu de Ouro da Rainha Elizabeth II, na Inglaterra.

Os negócios

Inicialmente, eu não tinha muito interesse em negócios comerciais, mas, com o grande sucesso que eu obtive na mídia, comecei a ter muitas ideias. O raciocínio era lógico: eu já era mundialmente conhecido, a medicina me proporcionava grande credibilidade junto ao público e isso me possibilitava promover, de maneira maciça, qualquer produto. Desde o início da minha carreira, eu sempre tive como alvo o público feminino, e isso fez com que os meus primeiros produtos fossem totalmente direcionados para as mulheres, que sempre foram fiéis a mim na audiência dos meus programas e em todos os eventos que eu participo.

Foi então que, em 2007, criei a minha primeira linha de produtos: faixas modeladoras para o corpo feminino. Na época, imaginei uma linha de faixas que aplicassem pressão e dessem sustentação nos lugares exatos do corpo da mulher, como se fossem as intervenções cirúrgicas que eu faço. Com isso, a mulher pode obter uma correção imediata na silhueta, empinar o bumbum ou os seios, sem precisar realizar uma cirurgia. Esse tipo de produto já existia havia muitos anos, mas eu adicionei um ingrediente especial às faixas tradicionais: a visão de um cirurgião plástico de como elas deveriam ser produzidas, para que a mulher obtivesse os melhores resultados possíveis. Também inovei colocando tecidos com Aloe Vera, que hidratam a pele da mulher, ou seja, alguns modelos de faixas não só modelam o corpo como ajudam a tratar, deixando a pele mais macia.

Essa linha de produtos acabou obtendo um sucesso instantâneo e, mais uma vez, o uso correto da mídia foi o ponto decisivo para o sucesso. A comercialização foi feita nos Estados Unidos, em todas as Américas, 54 países da África, em quase toda a Europa, Ásia e Oceania. Essa linha de produtos, *Dr. Rey Shapewear*, rendeu mais de 100 milhões de dólares de faturamento em todo o mundo.

Inicialmente, as faixas modeladoras foram vendidas nos Estados Unidos em redes de lojas de departamento, através de canais de vendas na TV e, mais tarde, distribuídas por grandes varejistas.

Tudo começou com uma grande distribuição, em todos os Estados Unidos, através das lojas de departamento Sears. Depois, outras grandes redes, como a gigante Nordstrom, também começaram a distribuir o *Dr. Rey Shapewear*, tanto em lojas físicas, quanto na Internet. Na Europa, os meus produtos são comercializados, principalmente, pelo HSE (Home Shopping Europe), sediado na Alemanha, mas também em muitas lojas físicas espalhadas por vários países do continente. A loja virtual Amazon.com, também disponibiliza para venda várias linhas nos Estados Unidos, Europa e em muitos outros países do mundo.

Na África, através da gigante do varejo Sul africana, Edgars, meus produtos estão espalhados em mais de 1000 lojas na Àfrica do Sul e em todo o continente africano.

Em 2009, eu visitei dezenas de cidades, em todo o Brasil, para divulgar a linha de faixas modeladoras *Dr. Rey Shapewear*, comercializadas no Brasil pela Polishop. O sucesso aqui também foi enorme e a minha marca de faixas modeladoras se tornou uma referência de qualidade no Brasil. Em 2010, a marca recebeu o prêmio pelo comercial mais sexy do ano.

Outra linha que teve um sucesso estrondoso foram os cosméticos "Dr. Rey's Sensual Solutions". A linha é composta, principalmente, por cremes antirrugas, feitos para retardar o envelhecimento da pele, e foi colocada à venda em 2009, através do site de um dos maiores canais da TV aberta dos Estados Unidos. Quebramos todos os recordes de venda daquele canal! A minha linha se tornou, instantaneamente, a número 1 do ShopNBC! Mais uma vez, Deus me proporcionava uma nova conquista e eu só podia agradecer.

Para reforçar a nova marca, eu viajei quase dois milhões de quilômetros, visitando 67 cidades em todo o mundo, apresentando a linha de cosméticos em eventos, programas de TV e concedendo entrevistas. Sem divulgação maciça, os resultados não teriam sido tão expressivos.

Depois, vieram mais 21 linhas de produtos, como suplementos alimentares, óculos, livros, roupas, sapatos, esteiras ergométricas e equipamentos de ginástica, cremes e muitos outros produtos. Algumas dessas linhas foram lançadas em, praticamente, todo o mundo e outros apenas em algumas regiões do planeta. Além disso, também inaugurei redes de clínicas de estética no México e no Brasil.

O conceito é criar produtos baseados em ideias simples. O simples, na maioria das vezes, é mais eficiente. A "fórmula" ideal é ter produtos bons e divulgação em massa aliada ao meu nome e credibilidade. Com isso, consigo garantir o sucesso de todos os meus produtos. A estratégia que utilizo na maior parte do mundo é também vender através da TV, em canais de venda direta, como acontece no Brasil.

Além disso, de nada vale criar um bom produto se não houver uma boa colocação no mercado, ou seja, promover todas as condições necessárias para que ele venda muito bem. Para lançar um novo produto, eu não complico nada. Como dizem os americanos, "simplify, simplify, simplify", ou seja, "simplifique, simplifique, simplifique". Isso é importantíssimo, pois quanto mais complicada for a ideia, ou melhor, quanto mais complexo for para implementar uma ideia, maior será a chance de fracasso. Quando surge uma nova ideia, ela precisa ser implementada o mais rápido possível. Muitas vezes, a ideia aparece em um dia, no dia seguinte já estamos negociando com um investidor e no outro o contrato para a produção e comercialização já está pronto. Quando colocamos empecilhos na implementação de uma ideia, nós mesmos estamos sabotando o negócio, não o mercado ou a concorrência. Tudo precisa ser simples! Se eu for resumir a chave do meu empreendedorismo, eu diria: "implementar ideia simples". Eu deixo as ideias complicadas para os grandes gênios!

Com o sucesso do *Dr. Hollywood*, muitos fabricantes dos mais diversos produtos começaram a enviar amostras para mim e para a minha família, esperando que mencionássemos o produto no programa.

Estou constantemente trabalhando para que, no futuro, eu possa expandir as minhas linhas de produtos já existentes e criar novas. Existem muitas áreas onde eu posso atuar nos negócios e pretendo continuar inovando sempre.

Outro segmento de negócios que acabei desenvolvendo foram as conferências. A partir do final de 2007, eu passei a ministrar palestras em todo o mundo, dos mais variados assuntos: medicina, cirurgia plástica, estética, beleza, negócios e palestras motivacionais. Atualmente, só no Brasil, eu faço dezenas de palestras, todos os meses.

Desde o meu primeiro programa na TV, *Plastic Surgery*, a minha vida profissional tornou-se muito complexa. Eu passei a acumular as funções de cirurgião plástico, palestrante, personagem de reality show, empresário e celebridade internacional. Com todas essas atribuições, eu ainda passei a viajar constantemente para os mais diversos países, o que me obrigava a ficar ausente com frequência e impossibilitava que eu continuasse dirigindo minha clínica e os negócios como antes.

Para conseguir administrar a minha carreira e os negócios, precisei montar uma pequena equipe com pessoas que me auxiliam em todas as minhas áreas de atuação. Desde o início, a minha esposa Hayley integra a minha equipe, e hoje ela é o meu "braço direito" no comando dos negócios.

Apesar de ter criado fama e fortuna à partir dos Estados Unidos, eu nunca tirei os olhos do Brasil. Este é o meu país e é aqui que eu sempre desejei prosperar. Logo que pude, comecei a investir tempo e dinheiro em atividades no nosso país. Quando o programa *Dr. Hollywood* começou a ser apresentado no Brasil, a minha fama por aqui também foi instantânea e, com isso, pude repetir aqui o caminho dos negócios feitos nos Estados Unidos.

Lancei aqui a minha linha de faixas *Dr. Rey Shapewear*, obtendo grande sucesso. Depois, outros produtos foram lançados, como o Tak (suplementos, produtos para emagrecimento, saúde e beleza), óculos e muitos outros. Nessa época, comecei a receber milhares de cartas e e-mails de fãs brasileiros e, dentro do possível, sempre atendi a todos, retribuindo o carinho recebido.

Atualmente, os meus negócios no Brasil estão muito diversificados. Apresento e participo de programas de TV, administro a venda de produtos e a minha rede de clínicas "Estética Dr. Hollywood", ministro palestras, atuo em comerciais de TV, faço publicidade para a mídia impressa e sou convidado para participar de feiras de estética e beleza. Mas também dedico muito tempo ao meu projeto político no Brasil.

Para mim, foi muito gratificante poder trabalhar no Brasil. Voltar ao meu país na condição de astro de TV, médico formado em Harvard e milionário, depois de ter saído daqui sem nada, é uma prova indiscutível de que Deus realmente recompensa o esforço e a determinação de Seus filhos, e eu só posso agradecer a Ele. Ao voltar como celebridade, encontrei todas as portas abertas e tive diversas ofertas de negócios, muitos dos quais prosperaram.

Criar um grande patrimônio, muitas vezes, pode ser mais fácil do que administrá-lo corretamente. Passei a investir cada vez mais em novos negócios e, então, o desafio era tornar todos rentáveis. Além disso, também comecei a fazer investimentos no mercado financeiro, o que envolve outros tipos de riscos. Até nisso, também posso agradecer a Deus pelos resultados que obtive. Como exemplo, posso citar um caso ocorrido durante a grande crise econômica mundial, há poucos anos. No dia em que o mercado norte-americano de ações chegou ao fundo do poço, em março de 2009, investi 250 mil dólares da minha conta pessoal comprando ações da Disney e da Coca-Cola. As ações acabaram valorizando quase 70%, e com os dividendos, em dois anos, eu lucrei mais do que o dobro do valor investido! Nada mal, especialmente com a economia mundial enfrentando a pior crise em 75 anos.

O segredo do sucesso

Com o sucesso do formato inédito do meu programa *Dr. Hollywood*, eu aprendi que poderia inovar em muitas outras coisas, tanto nos negócios quanto no comportamento. Acabei lançando o jaleco preto para fazer cirurgias, pois os cirurgiões sempre terminam com a roupa suja de sangue. Roupas brancas ou verdes, nesse aspecto, não fazem sentido. Além disso, também tirei as mangas da camisa de cirurgião. Essa moda que eu lancei passou a ser seguida por muitos médicos em todo o mundo. Até mesmo no uniforme que eu uso para treinar artes marciais eu tirei as mangas.

Hoje eu sei, baseado em fatos, que um dos segredos do sucesso é saber inovar, criando sempre.

Muitos me perguntam qual é o segredo do meu sucesso e eu costumo dizer que, na verdade, foi a dor que criou um homem com tanto êxito. A vida difícil que tive na infância e as dificuldades que eu enfrentei desde quando cheguei aos Estados Unidos, até conseguir conquistar o sucesso, foi um "motor" para o meu desejo de vencer. A dor nunca foi minha inimiga, ela acabou se mostrando uma das maiores fontes de energia para que eu lutasse por tudo o que eu sentia que precisava conquistar. De certa forma, a dor foi a minha amiga mais fiel, que me acompanhou em grande parte da minha vida e me ajudou a superar todos os obstáculos.

Eu gostaria muito que você que está lendo esse livro percebesse que, se o Rey conseguiu, mesmo passando por tantos problemas, você também pode e vai conseguir! Só não desista. Planeje todo o seu caminho e aguente firme todas as "pancadas" que a vida lhe der e a dor que sentir. Como faixa preta de Taekwondo, eu posso dizer com tranquilidade que, para vencer qualquer luta, não basta saber bater. Os maiores vencedores são aqueles que sabem apanhar e continuam lutando. Não existe caminho fácil para aqueles que saem em desvantagem, como foi o meu caso. Para mim, olhando para trás, vejo que a síntese da minha vida se resume a aceitar que a dor acabou sendo a minha melhor amiga — sem ela, eu nunca teria chegado onde cheguei.

> Ficando conhecido, eu pude crescer na carreira de cirurgião plástico, dar vazão ao meu lado criativo e artístico e, ainda, usar os melhores canais para vender minhas linhas de produtos.

Ao lado: Carteira da Associação dos Atores dos Estados Unidos. Eu já era oficialmente um ator, muito antes de me tornar médico.

Abaixo: Foto do meu *book* de ator e modelo, feito logo que me mudei para Los Angeles, em 1998.

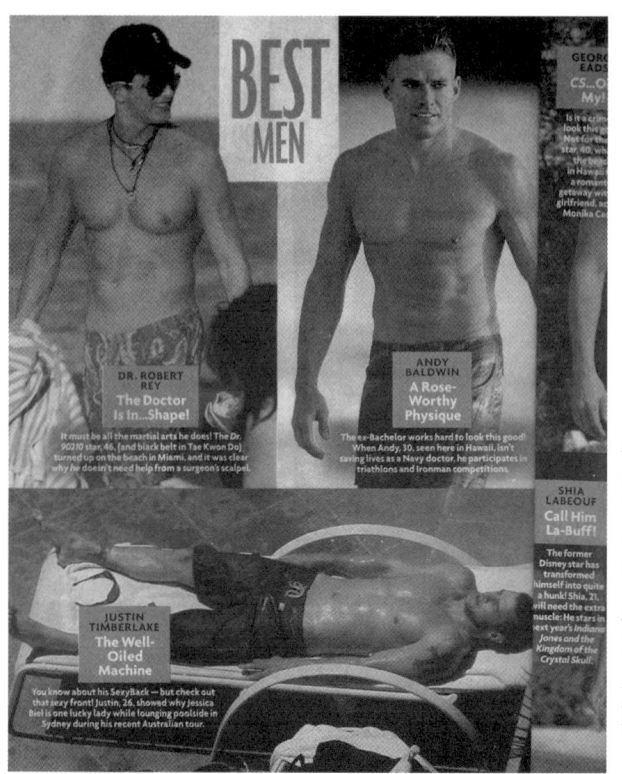

Ao lado: Página da revista americana *Star* (2007), na qual fui considerado como tendo um dos corpos mais bonitos dentre as celebridades.

Abaixo: Página da revista *Star* (2009), nos Estados Unidos, na qual pela segunda vez fui considerado como tendo um dos corpos mais bonitos dentre as celebridades.

Acima: Em Los Angeles, durante a gravação de um episódio do *Dr. 90210*.
Abaixo: Material publicitário da linha de óculos Dr. Rey – Brasil.

Ao lado: Capa da revista *Forbes*, outubro de 2004.

Abaixo: Nas capas das revistas *Plástica & Beleza* e *Franquia* (2014).

Acima: Capa das revistas *Novas Ideias Polishop*, em 2009 e *Sandton*, de 2011 (África do Sul).

Abaixo: Capa das revistas *Veja São Paulo*, em maio de 2012, e da revista *People*.

Acima: Sendo entrevistado no canal de notícias *CNN Espanhol.*
Abaixo: No canal hispânico *Noticias 22,* em Los Angeles.

Acima: Fazendo a cobertura da corrida de F-Indy para a TV Brasileira, em Indianápolis, nos Estados Unidos, em 2010. *Abaixo:* Gravando um comercial para um dos produtos Dr. Rey – Pure Omega.

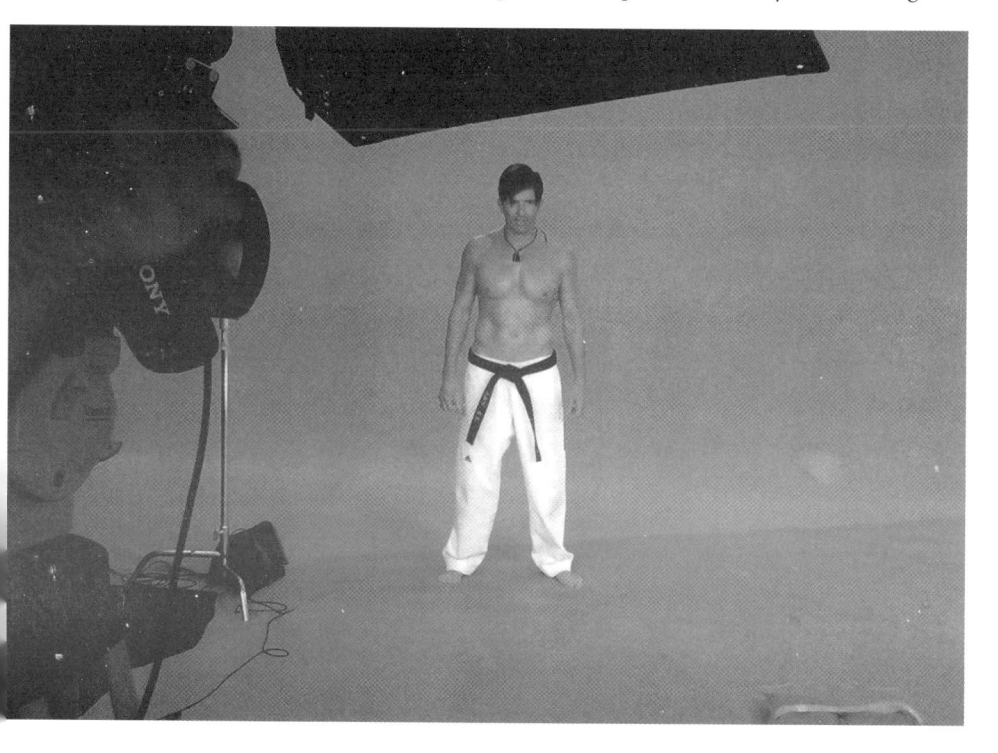

Ao lado: Em anúncio da linha de faixas modeladoras *Dr. Rey Shapewear* das Lojas Sears, nos Estados Unidos.

Abaixo: No concurso Miss Brasil 2011.

Ao lado: Anúncio da linha de cosméticos *Dr. Rey Sensual Solutions* das Lojas Edgars, na África do Sul.

Abaixo: Fazendo a cobertura da corrida de F-Indy para a TV Brasileira e de outros países, Indianápolis, Estados Unidos, em 2010.

Acima: Anúncio da minha linha de suplementos TAK – produto à venda em todo o Brasil.
Abaixo: Participação no programa *Playboy Morning Show*, com os apresentadores Kevin Klein e Andrea Lowell – 28/04/2010.

Acima: Durante a gravação de um de seus programas na TV dos Estados Unidos.
Abaixo: Com a cantora Wanessa Camargo, no programa *Márcia*, em dezembro de 2010.

Página do diário com fotos tiradas na Alemanha, durante gravação para o canal de vendas HSE21. Programa sobre as faixas modeladoras *Dr. Rey Shapewear*.

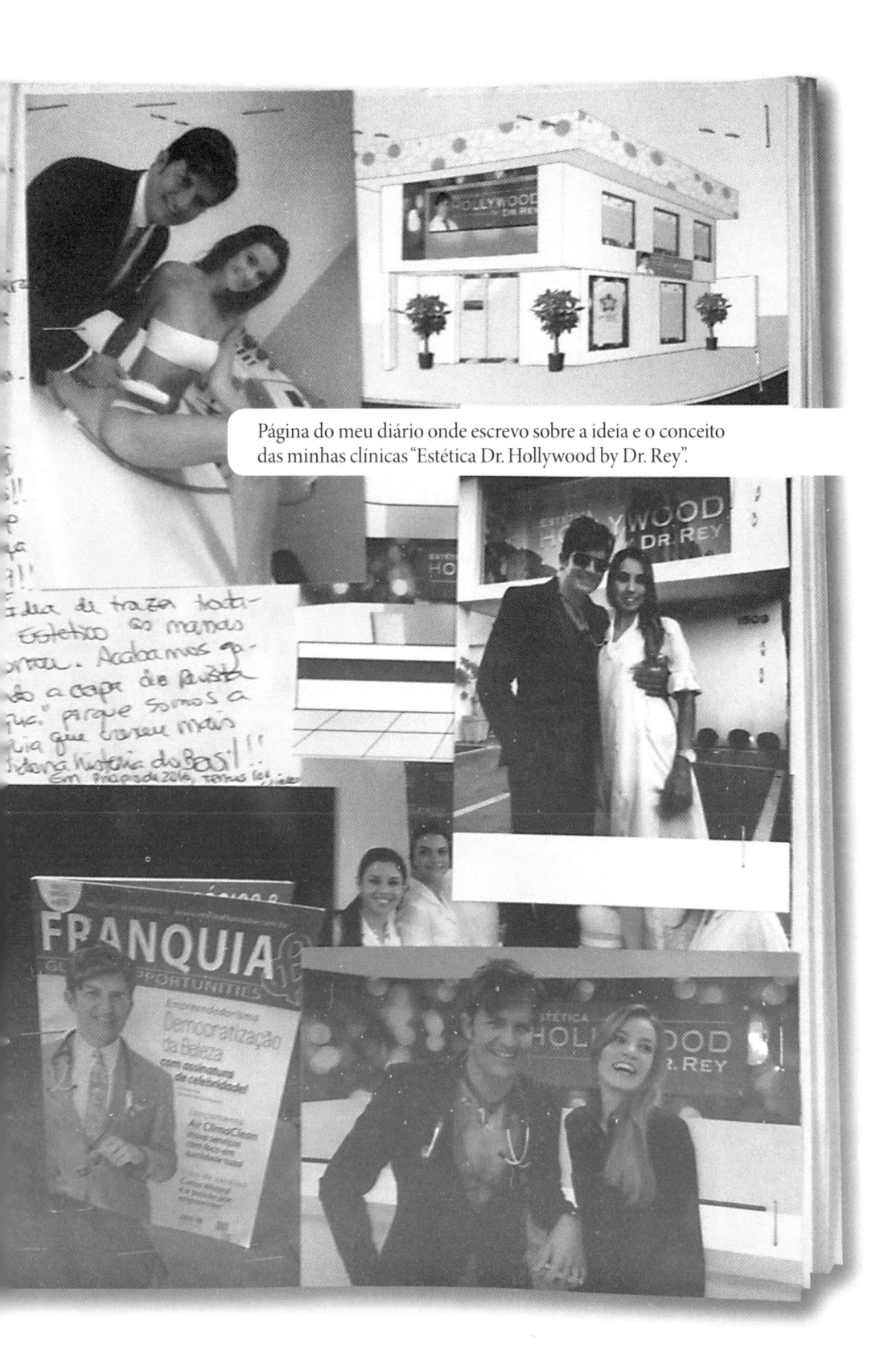

Página do meu diário onde escrevo sobre a ideia e o conceito das minhas clínicas "Estética Dr. Hollywood by Dr. Rey".

O futuro e a política no Brasil

O chamado

Durante a fase final da minha sofrida infância, eu comecei a sentir um ímpeto surgindo, uma força natural que me impelia, como um chamado inevitável à liderança. Como Deus trabalha de forma única! Eu senti esse chamado para me tornar um líder quando ainda era praticamente uma criança, vivendo em um mundo de incertezas e sem a mínima autoestima. Este sentimento costumava vir com mais intensidade à minha mente enquanto eu caminhava, solitário, pelas estradas arenosas em Ilhabela, a caminho de casa.

A ideia persistia e passou a tomar corpo em meus pensamentos. Naquela época, o Brasil passava por uma era política muito conturbada, com a retirada da liberdade individual do seu povo e uma inflação massacrante. Eu presenciava aquela realidade opressora dentro da minha casa e fora dela. Era impossível não ver. Mesmo assim, as ideias que eu tinha sobre liderança me levavam para outro lugar, e traziam um sentimento de felicidade e contentamento.

Eu tinha a nítida sensação de que, algum dia, de alguma forma, iria contribuir para levar minha nação à toda sua grandeza, que eu seria capaz de ajudar todos ao meu redor a sair da miséria e trazer de volta às pessoas o orgulho de ser brasileiro. Esse ímpeto de liderança vinha acompanhado de uma grande sensação de felicidade, como se Deus tivesse um grande plano para o futuro do Brasil no qual eu poderia fazer parte.

Eu sempre tive a certeza de que o Brasil é um país destinado à grandeza. Para mim, isso sempre fez sentido, pois os brasileiros não têm vergonha de Deus, de falar Dele e de agradecer a Ele por tudo o que recebem, além disso, o nosso povo tem um coração muito amoroso. Muitas nações, com a mesma idade do Brasil, tiveram sua história permeada por guerras sangrentas, ao contrário do nosso país, que nunca teve vocação bélica. Os brasileiros estão sempre ajudando outras pessoas, recebendo as que vêm de fora sempre de braços abertos. É um povo feliz, apesar da maioria ter uma vida difícil. Nós somos inovadores, pensamos de maneira positiva e sempre encontramos formas criativas para resolver os nossos problemas. Tenho a certeza absoluta de que grande parte do sucesso que alcancei em minhas atividades acadêmicas e profissionais, nos Estados Unidos, deve-se ao fato de eu ser brasileiro e pensar como um brasileiro.

Os trabalhos humanitários

Como eu sempre digo, planejar antecipadamente tudo o que se faz é uma das chaves para o sucesso. Tudo o que eu realizo nos dias de hoje já havia sido planejado há muito tempo e, do mesmo modo, são feitos os planos para a minha vida futura. Depois de muitos anos como cirurgião plástico em Beverly Hills, com uma carreira na televisão mundial e tendo obtido grande sucesso como empresário, eu não poderia deixar de retribuir ao mundo por tudo de bom que Deus me concedeu. Minha índole, como ser humano e médico, é ajudar as pessoas e esse é o objetivo maior da minha vida.

Eu realmente conquistei muitas coisas e só posso ser muito grato por isso. Com tantas bênçãos recebidas, tenho o desejo e a plena consciência de que devo retribuir, da maneira que puder, fazendo coisas boas e tentando ajudar ao máximo a melhorar a vida das pessoas. Como médico, há vários anos eu tenho participado de missões humanitárias, realizando cirurgias em países pobres, carentes de recursos ou em guerra. Esse é um trabalho que certamente manterei pelo resto da vida, embora não seja nada fácil. Já cheguei a realizar cirurgias nas piores condições possíveis.

Um caso impressionante aconteceu em Tegucigalpa, capital de Honduras, em 2009, quando o país estava sob a ameaça de um golpe armado para tentar derrubar o presidente. O hospital-escola onde eu estava precisava manter na porta um soldado armado com uma metralhadora. Enquanto eu realizava as cirurgias, podia ouvir os disparos do tiroteio que acontecia do lado de fora, próximo ao local. Era aterrador. Tive muito trabalho em Honduras, foram muitas cirurgias. Mesmo depois de voltar para casa, eu não conseguia me esquecer do sofrimento do povo de lá, e acabei levando essa preocupação para a minha família.

Havia um paciente em especial, um garoto hondurenho chamado Alvin Cruz, que vivia em uma condição miserável. Eu queria proporcionar a ele alguma alegria, nem que fosse momentaneamente, então, saí com meus filhos para comprar uma porção de coisas: roupas, brinquedos e cobertores, entre outros presentes. Preparamos uma grande caixa e enviamos a ele. Além da alegria que pudemos dar àquele garoto, tenho certeza de que a iniciativa foi uma ótima experiência e uma grande lição de humanidade para a Sydney e para o Robby. Eu retornei a Honduras em 2010 em outra jornada humanitária e, novamente, realizei muitas cirurgias.

Esse tipo de trabalho humanitário do qual eu participo atende às mais diversas necessidades, como a reconstrução de lábios leporinos, pessoas que nascem sem a separação dos dedos das mãos ou qualquer tipo de deformidade. Além disso, também faço cirurgias em pessoas que sofreram acidentes e precisam ter alguma parte do corpo reconstruída. Muitas das cirurgias são feitas em lugares e hospitais tão pouco aparelhados que os procedimentos acabam sendo muito mais arriscados. De qualquer forma, esse é um dos trabalhos mais gratificantes que eu faço e agradeço a Deus a chance de poder ajudar as pessoas dessa forma.

A cada ano, eu participo de pelo menos uma grande missão cirúrgica no exterior. Há alguns anos, estive na cidade de Haifa, no norte de Israel, onde operei soldados que sofreram ferimentos durante os conflitos com os palestinos. Já estive em áreas rurais no México e no Brasil, além de áreas carentes nos Estados Unidos, realizando trabalhos humanitários. Fiz cirurgias reconstrutivas em vários países da África, inclusive em alguns que estavam em pleno conflito armado.

Apesar de não buscar qualquer tipo de recompensa por esse tipo de colaboração, sempre fico contente com o reconhecimento pelo meu trabalho. Em maio de 2007, eu recebi uma carta do Vaticano, na qual o Papa Bento XVI me parabenizava pela realização do trabalho cirúrgico humanitário, por meio da Hirsche Smiles Foundation, entidade que organiza as missões. Através dessa mesma carta, fui convidado a falar na Rádio do Vaticano, com cobertura em 60 países. Em 2011, também recebi o "Prêmio Humanitário Internacional", em reconhecimento pelos meus trabalhos médicos humanitários, em todo o mundo.

No meu ponto de vista, o trabalho humanitário não é só aquele em que você vai a um lugar distante para tratar de pessoas carentes. Isso, claro, é uma tarefa importantíssima, mas ajudar o próximo, em qualquer situação de necessidade, além de humanitário, é uma obrigação de todos. Sendo um médico, eu tenho a capacidade de ajudar pessoas em momentos emergenciais, nos mais diversos lugares e situações. Um desses casos aconteceu durante um voo da TAM, que saía de São Paulo em direção a Miami. Eu precisei prestar socorro a uma mulher de 46 anos de idade que estava grávida e desmaiou. O pulso e a respiração ficaram fraquíssimos e, depois, o quadro piorou. Se eu não estivesse a bordo, a mulher certamente teria morrido. Eu fiquei muito feliz de poder ajudá-la, salvando duas vidas. Foi muito gratificante!

Depois de concluir o meu trabalho em Hollywood para que o mundo seja mais saudável e feliz, ajudar os outros através dos meus programas de televisão, e realizar minha contribuição na área política, colaborando com o crescimento do Brasil, eu planejo sair em uma missão de serviço humanitário permanente, pelo resto da minha vida, provavelmente em aldeias indígenas na Amazônia, carentes de serviços médicos.

Quando esse dia chegar, vou abandonar a política, a mídia, os negócios e vou fazer dessa missão médica na floresta a minha última atividade na terra, durante o tempo em que eu conseguir trabalhar, morar e viajar por toda aquela região. E vou poder usar tudo o que eu aprendi na minha época de escoteiro, para me adaptar a qualquer situação e lugar. Na Amazônia, eu poderei ser muito útil a quem não tem nenhum acesso à medicina.

O amor pelo Brasil

Mesmo tendo mudado para os Estados Unidos ainda criança, eu nunca deixei de ser brasileiro. Mesmo tendo conquistado tantas coisas fora daqui, eu sempre continuei muito ligado ao Brasil.

Talvez pelo fato de nunca ter me sentido completamente americano, mesmo depois de tantos anos, na atual fase da minha vida, por razões que não sei bem como explicar, estou profundamente apaixonado pelo Brasil. A fauna, a flora, os cheiros e as pessoas da minha terra de origem ficaram comigo e continuaram na minha memória e no meu coração. Eu tenho um grande orgulho do Brasil e de ser brasileiro, e nunca tirei da mente a ideia de que, um dia, eu poderia contribuir muito para que o nosso país se transformasse em uma nação do primeiro mundo, com qualidade de vida para todos. O Brasil é um gigante, com um potencial enorme, mas com graves problemas em todas as áreas.

Muitos brasileiros, desanimados e completamente frustrados com as perspectivas atuais sonham em se mudar para um outro país e, normalmente, o alvo desejado são os Estados Unidos. Eu já fiz esse caminho muitos anos atrás e entendo perfeitamente esse tipo de desejo e, ainda, posso dizer que as chances de prosperidade lá são reais.

Entretanto, para se obter sucesso naquele país ou em qualquer parte do mundo, incluindo o Brasil, é necessário muito esforço e perseverança. Eu só venci porque me dediquei 200% durante toda a minha vida. O meu raciocínio lógico é que, se houvesse melhores condições para que as pessoas pudessem prosperar no Brasil, ninguém iria querer sair daqui. Isso realmente precisa mudar.

No meu caso, estou fazendo o caminho inverso, pois voltei ao Brasil, onde atualmente tenho um apartamento em São Paulo e passo a maior parte do meu tempo. Eu costumo brincar dizendo que milhares de imigrantes ilegais "pulam o muro" para entrar nos Estados Unidos, mas eu sou um dos poucos que está "pulando o muro" de volta!

O Brasil precisa mudar

Esse meu retorno ao "lar", do qual eu nunca realmente me desliguei, se dá pelos mesmos motivos que me levam a realizar missões humanitárias e ajudar pessoas necessitadas em todo o mundo: quero poder realmente ajudar o nosso Brasil a crescer em todos os sentidos e, para isso, muitas coisas precisam mudar.

Por ter acompanhado de perto, durante a minha infância, o sofrimento da minha mãe, causado pelo meu pai, eu sempre desejei poder lutar pelas mulheres que sofrem agressões ou qualquer tipo de abuso. Essa é uma situação realmente muito grave, pois o Brasil é um dos países com o maior número de mulheres que sofrem com a violência. Tenho muitas lembranças de encontrar a minha mãe desmaiada no chão, desfalecida de tanto apanhar, depois das frequentes brigas com o meu pai, isso sem contar a tortura psicológica feita por ele diariamente. Estas são algumas razões pelas quais eu, anos depois, passei a considerar a possibilidade de participar da política no Brasil. Eu gostaria muito de proporcionar às mulheres mais proteção, mais voz e mais oportunidades. As mulheres brasileiras sofrem em silêncio! Apesar de todas as dificuldades, no entanto, elas trabalham duro, são muito dedicadas às suas famílias, além de serem bondosas com as pessoas mais necessitadas.

Quando mudei para os Estados Unidos, nunca mais tive que presenciar esse tipo de violência, porque fui morar com uma família cristã, na qual o respeito e a bondade imperavam. As diferenças que encontrei nos Estados Unidos, tanto na minha vida familiar quanto na estrutura daquele país, em comparação ao que eu vivia no Brasil, me fizeram começar a entender o que era viver no primeiro mundo, em um país realmente desenvolvido.

Em 1976, por ocasião da comemoração do bicentenário da independência americana, eu pude sentir e presenciar a força daquele país. Foi nessa época que eu comecei a sonhar com o Brasil no primeiro mundo. Eu queria que o meu país também tivesse um povo que caminhasse com a cabeça erguida, como fazem os americanos.

Em maio daquele ano, Bill Card, o pai da família que me acolheu nos Estados Unidos, me levou para conhecer uma base da Força Aérea Americana, onde eu assisti a um show com aviões de guerra. Foi nesse dia que eu comecei a ter um grande interesse pelas Forças Armadas e passei a sonhar com algo assim para o Brasil. As nossas Forças Armadas precisam ser fortalecidas e modernizadas, pois o mundo está cada vez mais perigoso. A ameaça do terrorismo é muito grande e tudo ainda deve piorar, de acordo com as escrituras. As Forças Armadas brasileiras, Marinha, Exército e Aeronáutica, precisam ser modernizadas, pois somente elas podem garantir a segurança dos brasileiros contra ataques externos ou internos. Os equipamentos militares brasileiros, na sua maioria, estão sucateados há muito tempo e, mesmo assim, o governo é relutante em investir nessa área. Da mesma forma, o investimento em segurança pública foi deixado de lado, contribuindo para o aumento da criminalidade no país.

O brasileiro não tem o mesmo sentimento de patriotismo como o povo americano, ou dos países mais desenvolvidos. Eu pretendo criar no Brasil uma nova "onda nacionalista", no sentido de fazer com que o nosso povo passe a ter orgulho de ser brasileiro. Eu nem posso dizer que gostaria de fazer com que o povo voltasse a ter orgulho do Brasil, pois, infelizmente, grande parte da população sequer experimentou um período em que o nosso país estivesse bem o suficiente para sentir orgulho de ter nascido aqui! E, para isso, pretendo elevar o nosso país ao primeiro mundo, de verdade, não a falsa ilusão vendida pelo governo nos últimos anos.

O que precisa ser feito

Há muito que precisa ser feito para melhorarmos o Brasil, especialmente na economia, qualidade de vida para o povo, infraestrutura, segurança, moradia, preservação ambiental e saúde.

Atualmente, eu sou vice-presidente do Partido Ecológico Nacional e estou trabalhando para conseguir exercer cargos públicos que me possibilitem contribuir para o crescimento do nosso país.

Em razão do meu interesse pelas ciências e pela natureza, o que senti desde sempre, tenho plena consciência da necessidade da preservação dos nossos animais, do controle da emissão de gases poluentes e da proteção das matas e recursos hídricos. Infelizmente, as autoridades brasileiras simplesmente não conseguem realizar essa tarefa tão vital para o nosso país e, também por essa razão, eu não posso ficar de braços cruzados. Nunca deixei de lutar com todas as forças por tudo que eu acredito, e eu acredito firmemente que vale a pena lutar pelo Brasil.

Uma das maiores críticas que o nosso país recebe no exterior é que nos mantemos muito isolados e, com isso, não atraímos investimentos externos. Com a entrada de poucos recursos do exterior, a economia não consegue "deslanchar" e, consequentemente, há o risco de voltarmos ao problema da hiperinflação.

Na Universidade de Harvard, eu estudei com pessoas que se tornaram políticos importantes, como, por exemplo, o presidente do México e um primeiro-ministro da Alemanha. Eu conheço bem líderes políticos de países como Estados Unidos, Alemanha e Inglaterra, e tenho um ótimo relacionamento com empresários e até mesmo com parte da realeza europeia.

O governo brasileiro, comandado pela presidente Dilma, incluindo o ex-presidente Lula e o PT, está cometendo erros básicos na economia, isso sem contar os escândalos de corrupção vergonhosos. Não é possível obter crescimento ou mesmo reverter a recessão e conter a hiperinflação sem que tenhamos uma classe trabalhadora com boa educação e sem obter investimentos estrangeiros pesados. É preciso reduzir os impostos drasticamente, como fez o presidente americano Ronald Reagan, diminuir a burocracia, modernizar e adequar as leis trabalhistas à realidade brasileira.

Os meus principais alvos na política brasileira são a saúde e a reforma tributária. A redução de impostos, de 77% para 17%, vai "destravar" a economia do Brasil de uma maneira como nunca antes se viu. Com isso, daremos a chance de todos os empreendedores crescerem e, entre muitas coisas, é disso que o país precisa. Eu não inventei essa medida radical.

Na década de 1980, o então presidente dos Estados Unidos, Ronald Reagan, reduziu os impostos de 80% para 17%. Naquela época, a economia americana passava por uma grande crise, decorrente da má administração do governo anterior, comandado pelo presidente Jimmy Carter, que quase "quebrou" a maior potência mundial. Com a crise causada no governo Carter, a economia mundial sofreu bastante e, depois da redução dos impostos e da austeridade imposta pela administração Reagan, não só os Estados Unidos se levantaram, como também a economia de todo o mundo ocidental, que era muito dependente da saúde financeira americana.

O mais importante para que o Brasil cresça e para que o povo brasileiro possa melhorar de vida é o governo "tirar as mãos do bolso" dos brasileiros, ou seja, o governo deve interferir cada vez menos na economia e, principalmente, cobrar menos impostos das pessoas físicas e das empresas.

Grande parte da população brasileira vive em condições próximas à da linha de pobreza. Temos um número ainda maior de pessoas que vivem na classe C, D e E. O padrão de vida da nossa classe média não pode ser comparado nem de longe com o padrão de vida da classe média de países como Estados Unidos, Alemanha, Inglaterra,

França e Japão, ou qualquer outro do primeiro mundo. Isso precisa mudar. O que eu quero fazer é dar condições a todos os brasileiros de estudar, trabalhar e progredir na vida. As crianças e os jovens precisam ter como objetivo chegar às melhores faculdades, trabalhar e colher os frutos do sucesso.

Quem estiver na classe média, deve querer alcançar a classe alta, da mesma forma que alguém que está na classe D precisa querer subir para a C, depois para a B, ou classe média e, finalmente, para a classe A. Não é vergonha querer subir na vida, como tem pregado o atual governo, que, aliás, estimula a luta de classes. Não interessa a ninguém a luta de classes, pelo contrário, pois o empresário precisa do trabalhador para continuar crescendo e o trabalhador, por sua vez, precisa do empresário para receber pelo seu trabalho e para ter a oportunidade de crescer na vida e, talvez, até mesmo se tornar um grande empresário ou um grande executivo. Se eu não tivesse essa certeza, nunca teria chegado onde estou, saindo literalmente do nada. Em última análise, eu quero dar a todos os brasileiros as mesmas oportunidades que eu tive nos Estados Unidos, pois isso é um direito que tem sido negado, sistematicamente, ao nosso povo.

Com o atual direcionamento da política econômica do Governo Federal, o Brasil caminha claramente para a volta da hiperinflação, da completa desestabilização da economia e para a aceleração da recessão em que já estamos vivendo.

Não é possível conter a hiperinflação e a recessão com o povo brasileiro endividado. Hoje, cerca de 50% dos brasileiros estão endividados e esse percentual não para de crescer. O brasileiro precisa poupar para prevenirmos a hiperinflação. Mas como é possível aumentar a poupança interna se o povo está com um grau de endividamento tão alto? Os governos Lula e Dilma criaram uma facilidade tão grande para a obtenção de crédito que eles acabaram colocando uma "corda no pescoço" da maior parte da população. Estavam errados, pois deveria ser o oposto, incentivar a poupança e não o uso indiscriminado de crédito. O atual governo cometeu e continua a cometer esses erros tão básicos!

A produtividade é uma das principais formas de se conter o avanço inflacionário e, infelizmente, os índices de produtividade que temos no Brasil, em praticamente todos os setores, é muito baixo. Há trinta anos, países que tinham o mesmo nível de produtividade que o nosso, ou até menos, como o caso da Coreia do Sul, hoje apresentam índices até três vezes maiores! Para obtermos maior produtividade, precisamos investir pesado em educação.

Como eu sempre gosto de repetir, o problema do Brasil é o governo do Brasil. Se não fosse o governo, não teríamos tantos problemas! O Brasil precisa de um "choque de ordem e honestidade". Não dá para vivermos em um país onde a criminalidade assume o papel do Estado em diversas cidades, incluindo o maior cartão postal brasileiro: o Rio de Janeiro. Para acabar com isso, precisamos resolver os problemas sociais, é claro, mas também é preciso dobrar o efetivo das polícias, aumentar os salários dos policiais, dar equipamentos adequados para combater o crime, acabar com a corrupção policial, criar leis mais duras e julgar como adultos os infratores acima de 16 anos.

Como eu já mencionei, as Forças Armadas brasileiras precisam ser modernizadas, A Marinha, o Exército e a Aeronáutica estão defasados e isso é péssimo para o Brasil. Muitos podem dizer que o Brasil é um país pacífico e que não é necessário que tenhamos forças armadas poderosas. Esse raciocínio não poderia ser mais equivocado.

Como lutador, faixa preta de Taekwondo, posso dizer que quando se aprende a lutar, o intuito não é sair por aí brigando com todo mundo, mas estar preparado para eventualidades e ter autoconfiança suficiente para enfrentar crises. Existe uma frase que todos os bons lutadores de artes marciais compreendem bem e que se aplica perfeitamente aos objetivos das forças armadas: "aprende-se a lutar para que não seja preciso lutar nunca". As Forças Armadas precisam se mostrar fortalecidas e eficientes, para que imponham respeito às outras nações, bem como a grupos terroristas, e não seja necessário acioná-las. Enquanto estivermos preparados para a guerra, teremos paz.

Essas e outras medidas para colocar ordem na sociedade são vitais para o crescimento do Brasil. Em nossa própria bandeira está escrito "Ordem e Progresso", pois, realmente, não é possível ter progresso e desenvolvimento em um país sem ordem social. Isso tudo precisa ser mudado.

Depois de morar, por anos, em um país com leis sérias, baixa criminalidade, educação pública de altíssimo nível, infraestrutura eficiente e um padrão de vida decente para a grande maioria, eu não posso ficar de braços cruzados, lamentando que o Brasil simplesmente não consiga "chegar lá". Para isso, só existe um único cargo em todo o país, cujo ocupante tem alguma condição de implementar mudanças tão profundas: a presidência da República.

Eu simplesmente não posso ficar calado diante de tamanha corrupção e da impunidade à qual o nosso povo é submetido. Muitas pessoas me perguntam por que eu estou me envolvendo na política no Brasil, em vez de continuar vivendo, tranquilamente, em Beverly Hills. Qualquer um pode imaginar a vida da qual eu abri mão para me dedicar à política brasileira. É muito sacrificado e, tenho certeza, vai ficar ainda pior. Hoje, como vice-presidente do Partido Ecológico Nacional (PEN), estou preparando toda a estrutura necessária para me candidatar e vencer as eleições presidenciais no Brasil.

Em 2014, eu realizei o meu primeiro projeto de "reconhecimento" na política, quando me candidatei a deputado federal. Foi uma experiência muito boa, um grande aprendizado. Não fui eleito, mas recebi uma grande lição: muitos políticos só conseguem se eleger ao comprarem, literalmente, apoios e votos. Como eu sou muito rico, recebi inúmeras ofertas de votos à venda e, obviamente, não pude ser conivente com isso.

Qualquer disputa política que eu vier a fazer no meu caminho em direção ao Palácio do Planalto, vencerei de maneira justa. Também não irei trair as minhas convicções nem me acovardar. Sei que vou incomodar muitas pessoas poderosas, mas não vão conseguir me deter. Com tudo o que passei na minha infância, todas as dificuldades, os traumas e a discriminação que sofri por ser um latino nos Estados Unidos, mesmo assim, eu consegui chegar onde cheguei, estou convicto de que a corrupção, a maldade, a desonestidade e as ameaças que certamente vou receber não me farão desistir dessa missão. Tenho certeza de que Deus me guiará para que eu possa ter um papel importante para fazer com que a vida dos brasileiros melhore, e bastante, no menor prazo possível.

Da mesma forma que a dor e o sofrimento me fizeram alcançar objetivos praticamente impossíveis, eu tenho certeza de que a dor, as privações, a vergonha e descaso a que os brasileiros são constantemente submetidos, já estão fazendo com que o nosso povo perceba a urgência de termos profundas mudanças no governo. Eu já mencionei isso antes, mas vou repetir aqui: quando pequeno, eu não gostava de me olhar no espelho, porque não gostava daquele garoto que eu via refletido diante de mim; eu o achava bobo, feio e burro, mas hoje, tenho certeza de que aquele menino está totalmente pronto para seguir o seu destino e assumir o seu maior papel, o de mudar definitivamente o Brasil.

Eu quero poder colocar em prática o que eu aprendi no mestrado em Ciências Políticas da Universidade de Harvard, toda a minha experiência nos negócios, utilizar o relacionamento internacional de que usufruo em prol do Brasil e implementar no governo os maiores padrões possíveis de correção e honestidade, para que possamos transformar o nosso país. Contarei também com a minha experiência no Congresso Americano, onde assessorei deputados, e na Casa Branca, sede do governo dos Estados Unidos, onde trabalhei com o Cirurgião-Geral, assessor da Casa Branca responsável pela política pública de saúde. Ou seja, utilizarei todas as armas que estiverem ao meu alcance para transformar o nosso país.

Costumo dizer que, além do presidente Juscelino Kubitschek, o político que mais me influenciou foi o presidente americano Ronald Reagan. Como eles, a minha orientação política é conservadora, de centro-direita.

Eu não vou parar até alcançar os meus objetivos de fazer do Brasil um país de primeiro mundo, reduzir as desigualdades sociais e dar oportunidades aos brasileiros, como as que eu tive nos Estados Unidos. Não vou parar antes de conseguir isso!

Sendo uma das maiores economias do planeta, não é justo que tenhamos a maioria do nosso povo vivendo em péssimas condições e até mesmo na miséria. Os programas sociais que ajudam na subsistência de famílias carentes em todo o Brasil precisam ser ampliados e adaptados às reais necessidades dos brasileiros. Além disso, o atual governo não está conseguindo administrar de maneira eficiente esses programas, vitais para uma grande parcela da nossa população.

Saúde e educação no Brasil

Como médico, eu me preocupo muito com a saúde no Brasil e com a necessidade de profundas mudanças nessa área. Praticamente tudo precisa ser melhorado, começando pela educação e formação dos médicos. Certa vez, conversando com um médico cujo nome não devo revelar, desconfiado da qualidade da sua formação, consegui, de maneira educada, perguntar se ele sabia os nomes das artérias do cérebro humano. Eu fiquei muito espantado quando ele só conseguiu dizer o nome de uma! Isso é tão básico que o fato de ele não saber demonstra claramente sua incapacidade para exercer a medicina. E esse tipo de profissional, infelizmente, é muito comum no Brasil.

A saúde no Brasil precisa mudar com a maior urgência pois, literalmente, é uma questão de vida ou morte. Os brasileiros são tratados no SUS como gado que vai para o abate! É desumano e fere a dignidade de qualquer um ser obrigado a passar por isso. E o povo ainda teve que ouvir o ex-presidente Lula dizer que o SUS é um orgulho para o país e que o mundo todo deveria copiá-lo. Isso é ridículo, pois em nenhum país desenvolvido o cidadão é tratado com esse desrespeito pelo poder público em geral. Isso só vai mudar substancialmente quando dermos ao nosso povo uma educação de primeiro mundo.

O homem que acha que sabe fazer tudo, na verdade, não sabe fazer nada. Os trabalhadores que não têm uma profissão definida e que vivem de "bico", como tantos milhões de brasileiros, não contribuem de maneira relevante para a nossa economia e não têm perspectivas de crescimento pessoal. O rapaz que toma conta de carros, corta a grama e, ao mesmo tempo, pinta paredes, está cuidando da sua subsistência da melhor maneira que consegue mas, para o Brasil, e para ele mesmo, seria muito melhor ele fosse um técnico qualificado. Para modernizar sua economia, o Brasil precisa ter trabalhadores especializados em química, física, engenharia e tantas outras atividades que realmente podem fazer a diferença para o nosso país. Resumindo, para aumentarmos a nossa produtividade, é preciso que tenhamos boas universidades.

Eu nasci em uma família desestruturada, fui vítima de violência doméstica e na minha casa faltava tudo; contra todas as estatísticas, eu consegui estudar na mais famosa universidade dos Estados Unidos, uma das melhores do mundo. Eu me tornei o cirurgião plástico mais famoso do mundo, fiz fama e fortuna, única e exclusivamente pela minha força de vontade e determinação em estudar e trabalhar. Eu sei muito bem que, desde que a pessoa tenha a oportunidade de estudar em boas escolas e boas universidades, com esforço pessoal, é possível vencer na vida.

A educação no Brasil está realmente muito fraca e, consequentemente, fica difícil mudar a realidade do país se não houver mudanças drásticas no ensino brasileiro. Muitos profissionais, de diversas áreas, fazem o MBA aqui no nosso país. Até esses cursos, que são respeitados no mundo todo, no Brasil costumam ser muito fracos! Já questionei pessoas que alegavam ter concluído um MBA e fiquei espantado com o baixo nível cultural e de conhecimento que, supostamente, um bom MBA deveria fornecer. Isso precisa mudar!

Muita verba é destinada à educação no Brasil, mas o desvio desse dinheiro, cada vez mais explícito, faz com que o ensino não melhore. Deputados e senadores que vieram da classe média entram no Congresso Nacional ou nas Assembleias Legislativas estaduais e terminam os seus mandatos milionários! Isso é ridículo! Nos Estados Unidos, um deputado de classe média, quando deixa a política, continua na classe média. Não existem grandes regalias como carros oficiais, helicópteros, jatos particulares e muitos outros "luxos" pagos com dinheiro do contribuinte.

Nos Estados Unidos, vivendo dentro da minha comunidade cristã, eu aprendi a não ter preguiça. Os americanos são muito duros com as pessoas que não se esforçam ao máximo, que não dão tudo de si. Nas artes marciais que eu treinei durante muitos anos, quem não se esforçava, apanhava. Eu apanhei muito dos meus mestres de Taekwondo, luta greco-romana, Jiu-Jitsu e Hapkido. Os americanos não toleram a preguiça e a incompetência. E esta, entre outras, é uma das razões pelas quais estou preparado para ser um líder, pois tenho uma forte disciplina aliada à "pegada" brasileira, pois eu sou brasileiro e tenho muito orgulho de ter nascido aqui.

O projeto político

Eu fui um precursor na televisão ao criar um programa com um formato novo, assim como na medicina, ao desenvolver uma nova técnica cirúrgica e agora, literalmente, serei um precursor ao mudar a política no Brasil. Todas as minhas campanhas serão disputadas e vencidas de maneira totalmente justa, sem uso de dinheiro "sujo" e de forma alguma haverá compra de votos, prática comum entre os políticos brasileiros. Não podemos continuar agindo e aceitando o que é feito de errado na política simplesmente pelo fato de que tudo é feito da mesma maneira há um século! Eu vim para mudar essa triste realidade. Posso até perder algumas eleições, pois não vou comprar um único voto, mas, quando eu ganhar, o Brasil saberá que foi uma vitória limpa. Eu vou ganhar honestamente e, com isso, mudaremos a cultura eleitoral no Brasil.

Eu não vou precisar de dinheiro ilícito para bancar as minhas campanhas. Doações de campanha serão aceitas apenas pelas vias legais, entretanto, eu criei minhas empresas e meus negócios para não depender de doações. O dinheiro das minhas campanhas será inquestionavelmente limpo! Apesar de eu ter me tornado milionário nos Estados Unidos, somente com as minhas empresas e negócios no Brasil já será possível custear as minhas campanhas. É para isso que eu trabalho há muitos anos.

O meu plano inicial na política era ser deputado nos Estados Unidos, para que eu pudesse dar mais voz aos latinos, especialmente aos brasileiros que moram lá. Então, no ano de 2011, em uma conversa com o deputado José Camargo, um dos relatores da constituição brasileira de 1988, ele me disse que eu poderia contribuir muito mais ingressando na política no Brasil. Realmente, só faltava um "empurrão" para que eu tomasse essa importante decisão. Ele me incentivou muito, dizendo que o Brasil precisava de uma liderança culta, honesta, com "cabeça de primeiro mundo" e que eu tinha tudo para me tornar esse líder. À partir dessa conversa, comecei a estudar a possibilidade e a viabilidade de um projeto ambicioso, mas que poderia trazer grandes resultados para o Brasil. Depois de algum tempo, percebi que não poderia negar o meu auxílio ao nosso tão sofrido país. Essa decisão deixou a minha mãe muito satisfeita, pois ela sempre esperou que, um dia, eu voltasse ao Brasil.

Eu me preparei para assumir essa liderança com o mestrado em Ciências Políticas, em Harvard, e a minha experiência em Washington, assessorando diversos deputados do Congresso americano. Além disso, a minha experiência como empresário de sucesso certamente será muito útil na administração pública.

Eu posso facilmente transitar e me sentir à vontade em qualquer nível social, pois a vida me proporcionou isso: eu nasci filho de uma faxineira, vivi em condições paupérrimas e cheguei à classe "A" americana, na qual sou convidado para eventos sociais e jantares com presidentes, reis e princesas. Eu me dou bem em todas as classes, porque eu vivi em todas as classes. Com isso, conheço muito bem a vida, a importância e a necessidade de todas as classes sociais, especialmente o que precisa ser feito para melhorar a vida das pessoas.

O Brasil precisa mudar, se modernizar, crescer e atingir o seu potencial para ser uma das maiores nações do mundo. Mas isso de nada vale se o nosso povo não tiver condições de vida semelhantes às dos moradores de países do primeiro mundo. Para isso, o país precisa ser comandado por um presidente que tenha capacidade para criar e implementar as mudanças necessárias como foi o caso do presidente Juscelino Kubitschek, tempos atrás. Além dos meus ícones políticos — o presidente Juscelino e, nos Estados Unidos, o presidente Ronald Reagan — eu admiro muito John F. Kennedy, especialmente pelo seu grande carisma e pela esperança que transmitia ao povo americano no auge da Guerra Fria.

Eu sei que grande parte do meu eleitorado está concentrado nas mulheres e nos jovens. As mulheres, desde o começo da minha carreira, sempre foram o meu alvo principal. Eu tenho um "lado feminino" muito destacado, entretanto, sou um homem forte, determinado, que respeita e gosta das mulheres. Esse meu "lado feminino" me permite entender melhor a mente das mulheres e, por esse motivo, eu pretendo lutar pelos interesses das sofridas brasileiras.

Mesmo com a absurda burocracia do governo, as leis trabalhistas que mais se assemelham às leis de países comunistas e uma infraestrutura pública precária, os brasileiros conseguiram construir uma grande nação.

Apesar dos bilhões de reais investidos na infraestrutura do país, nós ainda temos quase a totalidade das estradas esburacadas, portos ineficientes, problemas na geração e transmissão de energia elétrica, e todas as dificuldades imagináveis de infraestrutura. E por que isso acontece? Simplesmente porque sempre há desvio das verbas!

Trinta e nove ministérios é um absurdo, um insulto à democracia e a todos os brasileiros. Esse número de ministérios, nem a China tem! Há muitas áreas nas quais o Estado deve estar presente, como na saúde, na construção da infraestrutura do país ou na segurança pública, entre outras, mas há lugares em que ele não deve estar como, por exemplo, no bolso do contribuinte, que paga impostos extorsivos no Brasil.

Além disso, o governo deve garantir aos empreendedores melhores condições para que o empreendedorismo traga frutos para o empresário e para o país. Como eu já disse, quero diminuir o tamanho do governo, tirar a mão suja do governo do bolso de todos os brasileiros, através de uma redução drástica de impostos, a exemplo do que o presidente Reagan fez nos Estados Unidos, recuperando a economia americana.

Da mesma forma que o presidente Juscelino Kubitscheck foi responsável por praticamente criar o parque industrial brasileiro, trazendo empresas estrangeiras para o nosso país, eu serei responsável por um salto de produtividade e de modernização da nossa indústria e do setor de serviços.

Para que o Brasil tenha um crescimento sustentável, é preciso que a educação seja prioridade. Eu sei bem o que isso significa, pois só cheguei onde estou em razão de ter estudado muito e frequentado ótimas universidades. Educação é essencial para o crescimento do país e, para isso, precisamos ajudar os pais para que eles possam pagar ótimas universidades para seus filhos. Realmente há muito que fazer, mas tenho certeza de que conseguirei realizar grandes mudanças.

Se o nosso povo me conceder a honra de conduzir os destinos do nosso país, eu vou trazer investimentos estrangeiros para o Brasil como nunca se viu em nossa história. Meu bom relacionamento e o fato de ser conhecido em todo o mundo certamente abrirá muitas portas para as empresas brasileiras no mercado externo.

O "Dr. Hollywood" é um personagem, uma variação da minha própria personalidade, criado para um reality show que foi e é sucesso em todo o mundo. Eu sou o homem por trás desse personagem, um brasileiro chamado Roberto Miguel Rey Júnior, médico formado em Harvard, filho do Sr. Roberto e da dona Avelina, uma faxineira. Nasci no bairro da Lapa, na cidade de São Paulo e adotei o nome de Robert Rey. O médico da televisão, baseado no verdadeiro cirurgião plástico, Dr. Rey, foi o caminho para que eu alcançasse o reconhecimento e a fortuna necessária para começar, realmente, a maior missão da minha vida: colocar o Brasil no caminho do crescimento, dar ao nosso povo o orgulho de ser brasileiro e, principalmente, levar o país ao primeiro mundo, dando condições de vida digna para todos.

> Eu realmente conquistei muitas coisas, e só posso ser muito grato por isso. Com tantas bênçãos recebidas, tenho o desejo e a plena consciência de que devo retribuir, da maneira que puder, fazendo coisas boas e tentando ajudar ao máximo a melhorar a vida das pessoas.

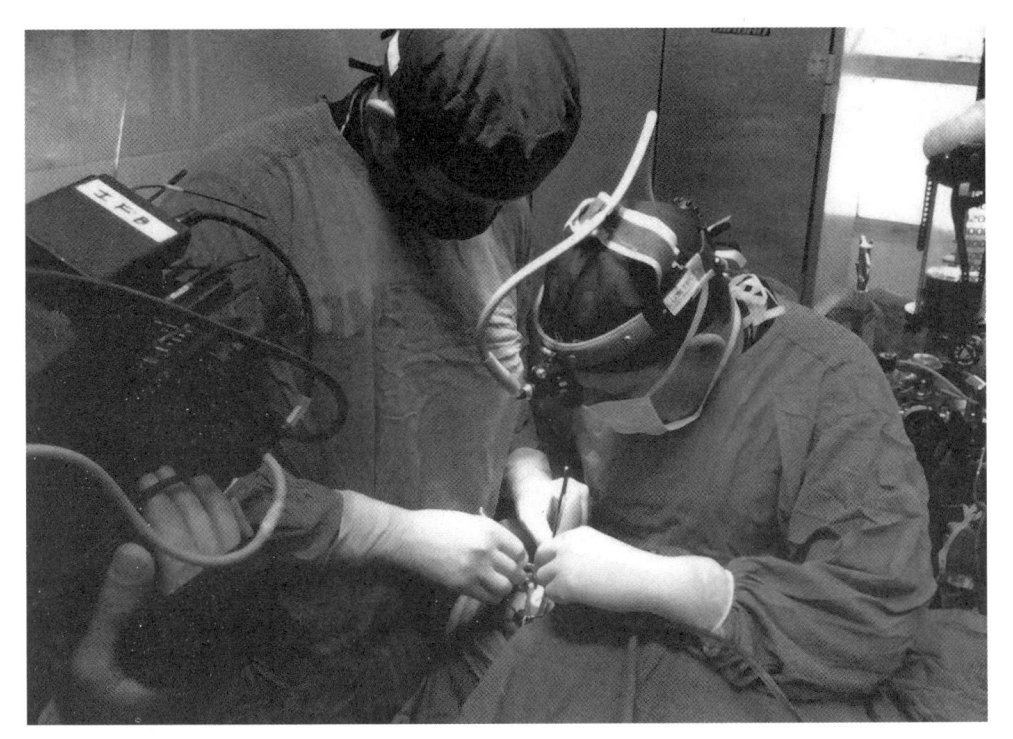

Acima: Durante cirurgia em Honduras, em 2010. Todos os anos, participo de missões humanitárias em vários países. *Abaixo:* Nas missões humanitárias, muitas vezes realizo cirurgias em condições precárias e sob pressão. Foto tirada em Honduras.

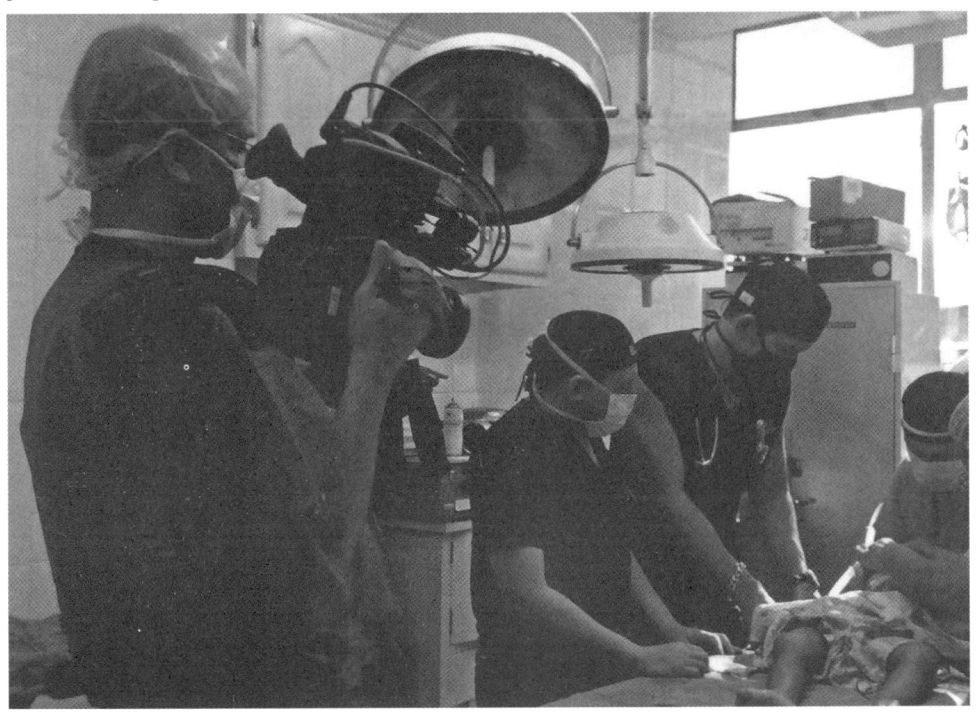

Durante a minha campanha política em 2014.
Fotos e comentários do meu dia a dia.

Não desanimei nem mesmo ao ver tanta corrupção durante a campanha. Qualquer eleição que eu venha a vencer, o povo saberá que foi de maneira limpa e justa.

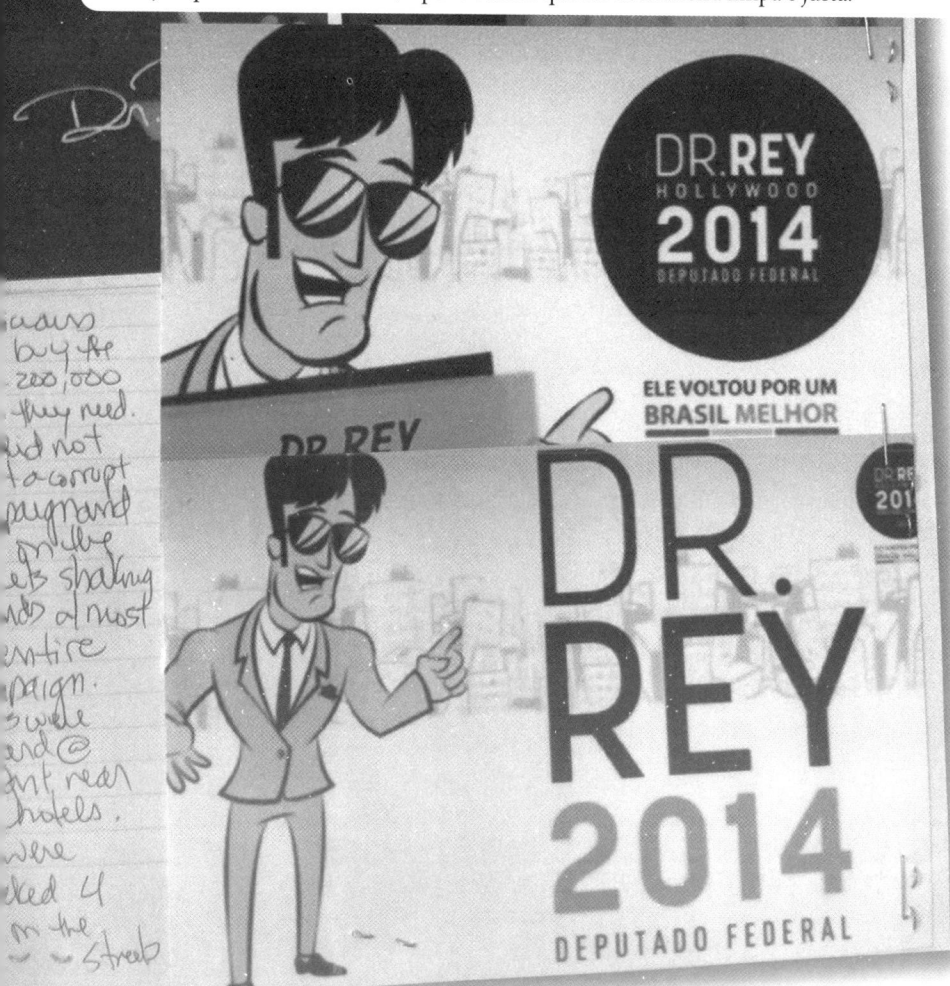

Durante missão cirúrgica na cidade de Haifa, em Israel.

IMPRESSÃO E ACABAMENTO
YANGRAF
GRÁFICA E EDITORA LTDA.
WWW.YANGRAF.COM.BR
(11) 2095-7722